AVERTISSEMENT.

Lecteur, ce titre n'annonce ni beaucoup d'amusement, ni beaucoup d'intérêt; mais c'est en cela qu'il me convient mieux. Mon intention n'est pas de séduire.

Je ne me flatte point d'avoir embrassé toute l'étendue de mon sujet. Il n'en est même, je le sens, aucune partie que j'aie assez developpée. Lorsque j'ai commencé ce léger travail, je n'avais point l'orgueilleuse pensée de faire un livre. En suivant la route où m'avaient engagé mes premières réflexions, j'ai craint souvent de redire ce qui avait été dit tant de fois ; j'ai craint bien davantage encore de redire ce que je n'avais su ni penser ni sentir.

Le seul mérite auquel j'aie osé prétendre , est d'écrire de bonne foi ; quelque rare que soit aujourd'hui ce mérite , je doute qu'on veuille me le disputer.

DE LA MORALE NATURELLE.

C'est l'erreur que je fuis, c'est la vertu que j'aime;
Je songe à me connaître, et me cherche en moi-même.

BOILEAU.

DE LA MORALE NATURELLE.

par m. meister

Ενα σε δει ανθρωπον... ειναι.

ÉPICTETE.

NOUVELLE ÉDITION.

A LONDRES,

Et se trouve A PARIS,

Chez { VOLLAND, Libraire, quai des Augustins.
GATTEY, Libraire, au Palais-Royal.
BAILLY, Libraire, rue S. Honoré, barrière des Sergens.

M. DCC. LXXXVIII.

INTRODUCTION.

ENTRAÎNÉ sans cesse par le tourbillon des préjugés, des goûts, des opinions, de toutes les vaines disputes de la société, je cherche à retrouver le guide naturel de mes sentimens.

Nos actions sont réglées, ou par les besoins mêmes de la nature, ou par les usages de la société, ou par les lois positives du gouvernement sous lequel nous vivons, quelques-unes encore par certaines coutumes religieuses qui ont reçu de l'autorité du gouvernement une sanction plus ou moins précise.

Il n'y a qu'à supposer un moment que ces usages, ces lois, ces coutumes n'ont jamais existé; on ne tardera pas à s'apercevoir qu'indépendamment de ces règles d'institution divine ou humaine, il existe des rapports antérieurs qui ont rendu l'établissement de ces règles utile ou nécessaire. Ce sont ces rapports dont je voudrais retrouver la trace première ; ce sont ces principes dont je voudrais me faire l'idée la plus simple et la plus pure.

En me recueillant dans l'intérieur de ma pensée , je m'aperçois que ce qui détermine toutes mes actions, ce sont, ou des impressions purement physiques et presque involontaires, ou un premier sentiment qui ne l'est guère moins , ou le souvenir d'une suite de réflexions auxquelles l'expérience et l'habitude ont donné une assez grande énergie.

DE LA MORALE NATURELLE

CHAPITRE I.

Des impressions physiques.

S'IL est des impressions physiques absolument irrésistibles, il en est assurément un grand nombre qu'il dépend de nous de modérer, d'affaiblir, de diriger, d'anéantir peut-être. Il en est encore beaucoup qui n'ont acquis un pouvoir extrême que parce que nous l'avons voulu, ou parce que nous n'avons jamais songé à lui prescrire aucune limite.

Si les impressions physiques ont une grande influence sur ce que nous appelons notre cœur ou notre imagination, notre cœur et notre imagination prennent à leur tour un grand empire sur elles.

Les mêmes impressions souvent renouvelées s'affaiblissent ou se renforcent, suivant la nature même des objets qui les font naître, ou les différens rapports que ces objets peuvent avoir avec notre manière de sentir.

L'habitude qui flétrit certaines impressions, en rend d'autres infiniment plus vives.

Ce qui n'était qu'un goût devient une passion, un besoin prédominant, un penchant invincible.

Ce qui semblait un penchant invincible, n'est plus qu'un besoin naturel, un désir modéré, un goût simple.

Ce qu'on cherchait avec le plus vif empressement, l'on finit quelquefois par l'éviter avec le même soin, le craindre, le dédaigner ou l'oublier entièrement.

Il est une manière de vivre, de se nourrir, de disposer de son temps, de ses exercices, de son travail, qui ôte ou donne aux impressions purement physiques plus ou moins d'influence, plus ou moins d'énergie.

CHAPITRE II.

Des premiers sentimens.

JE n'ai besoin d'aucune réflexion pour sentir vivement qu'il est des modifications de mon être qui me blessent, m'inquiètent, me troublent, m'attristent ; d'autres qui me calment, me rassurent, me font éprouver une sorte de sérénité, de charme, qui rend tout à-la-fois le sentiment de mon existence et plus vif et plus pur.

La seule vue d'un être qui souffre nous tourmente et nous afflige. Sans le vouloir, nous partageons les peines qu'il éprouve. On se rappelle le Sybarite qui suait à grosses gouttes en voyant ramer un matelot.

Considérez l'homme sortant des mains de la nature, ce n'est qu'avec beaucoup de peine qu'il se distingue lui-même de cette foule d'objets qui l'environnent; il pense, doit penser que tout est en lui. Lorsqu'un objet nous frappe ou nous intéresse fortement, nous nous retrouvons, relativement à cet objet, ce que fut l'homme au premier moment de son existence. C'est ainsi qu'on est toujours pour la maîtresse ou pour l'ami de son cœur: C'est encore moi, dit-on avec la Galathée de Pygmalion ; ses plaisirs sont mes plaisirs, ses peines sont mes peines : lui, c'est moi ; moi, c'est lui.

Ainsi la compassion, qui semble être la première des impressions morales, tient, pour ainsi dire, encore aux impressions purement physiques ; elle est quelquefois également puissante, également involontaire.

CHAPITRE III.

De l'expérience et de la réflexion.

L'EXPÉRIENCE et la réflexion n'ont pas tardé à m'apprendre que telle impression qui m'avait paru infiniment douce, cesse bientôt de l'être, et que souvent même elle est suivie d'impressions pénibles et douloureuses.

L'expérience et la réflexion m'ont encore appris qu'une suite d'impressions heureuses et tranquilles, était préférable à des jouissances plus vives, mais accompagnées de trouble et d'inquiétude ; qu'un de ces états conservait mon être, et que l'autre tendait à le détruire.

L'expérience et la réflexion m'avertissent qu'il est de l'essence de mon être, de suivre et de chercher en toute chose une certaine marche constante et régulière, je ne sais quelle idée d'ordre, dont le sentiment se mêle à tout ce qui fait le charme de la vie, aux attraits touchans de la beauté, à l'admiration qu'inspire le spectacle pompeux de la nature, à l'illusion si ravissante de tous les talens et de tous les arts.

La confusion fatigue notre esprit, l'ordre l'éclaire et l'attache. Quelque variété d'objets et d'idées qu'on lui présente, s'il peut apercevoir le rapport qui les lie, il en saisit l'ensemble sans peine; une lumière nouvelle paraît dans ce moment se répandre autour de lui; elle recule, pour ainsi dire, les bornes de son existence, l'élève et l'embellit.

J'en conclurai qu'il est un ordre qui convient à l'économie de mon être; et quand je le connaîtrai, je tâcherai de soumettre à cet ordre et mes idées, et mes sensations, et mes habitudes.

CHAPITRE IV.

Qu'est-ce que la morale?

APRÈS avoir vu quels sont les ressorts habituels de nos actions, quels sont aussi les moyens que nous pouvons avoir de les diriger, ne touchons-nous pas à la définition la plus simple de la morale? C'est la connaissance des moyens qui peuvent nous assurer assez d'empire sur nos facultés pour en faire le meilleur usage possible, c'est la science des habitudes propres à perfectionner notre être, à nous conduire à l'état le plus constamment heureux.

L'autorité des lois est établie sur la puissance du législateur, dont la force en garantit l'exécution. Celle de la religion l'est également sur la puissance infinie de l'Être suprême.

Quelle sera donc l'autorité de la morale? C'est l'instinct même de la nature qui a dit à l'homme: Voilà ma règle, tu ne peux être heureux qu'à ce prix.

Toute la morale ne serait qu'un seul sentiment, ce serait ce penchant si doux qui nous porte à suivre sans effort toutes les inspirations de la nature, si nos idées et nos préjugés n'avoient pas altéré nos affections naturelles, si ces affections, ou trop exaltées ou trop affaiblies par des habitudes vicieuses, n'avaient pas corrompu à leur tour nos idées et notre jugement.

Aujourd'hui le seul moyen peut-être de rectifier nos idées et nos affections, c'est de tâcher d'abord d'en faire la distinction la plus exacte, pour les observer isolées les unes des autres, et les comparer ensuite de nouveau. Après les avoir dépouillées de leurs rapports factices, nous verrons plus clairement quels sont leurs rapports naturels.

C'est ainsi qu'en chimie l'on parvient

parvient à reconnaître les substances principes, en les débarrassant autant qu'il est possible du mélange de toutes parties hétérogènes.

On n'est pas bon pour avoir fait une bonne action ; on n'a pas l'esprit juste pour avoir rencontré une idée vraie ; on n'est pas heureux pour avoir eu quelques jouissances très-vives. Il n'y a qu'une manière d'être habituelle qui puisse être regardée comme un état de la vie digne de fixer nos soins et nos vœux.

Ce sont donc les moyens de nous assurer cet état que la morale doit chercher, en déterminant le choix de nos habitudes, en nous enseignant l'art de les régler ou d'y renoncer, suivant ce qu'exige notre repos ou notre bonheur.

CHAPITRE V.

Morale des sensations.

IL est peu d'impressions physiques dont l'ascendant ne puisse devenir funeste à notre bien-être; mais ce n'est, comme nous l'avons déja dit, ce n'est que par l'effet d'une longue habitude que cet ascendant nous domine et devient quelquefois irrésistible. Notre premier principe de morale sera donc d'éviter avec soin le danger des habitudes.

Ne nous refusons à aucune jouissance agréable, mais pour

n'en être point esclave, ne nous y livrons jamais avec assez de suite, avec assez d'abandon pour qu'il ne soit plus en notre pouvoir de nous en abstenir à volonté ; plus elle nous plaît, plus il sera important de nous en priver, sans aucun autre motif que celui de n'y point trop habituer nos sens ou notre imagination ; c'est le seul moyen d'éviter deux inconvéniens également contraires au bonheur, le dégoût, l'ennui d'une sensation agréable, ou la chaîne pesante d'un besoin trop impérieux.

S'abstenir pour jouir, disait Julie, c'est l'épicuréisme de la raison, c'est le secret d'une vertu qui pourroit bien être la première de toutes les vertus; car n'est-ce pas la tempérance qui nous conserve cet empire sur nous-mêmes auquel nous devons la force, le courage, tous les sentimens de justice et de générosité qui peuvent élever l'ame (1)?

---

(1) Quoique toutes les facultés sensibles de notre être s'affaiblissent nécessairement avec l'âge, cette perte est plus lente et plus imperceptible pour les hommes modérés, non-seulement parce qu'on conserve plus long-tems les forces que l'on ménage, mais encore parce que pour eux, l'usage et l'expérience ayant perfectioné l'art de jouir, ils s'imaginent, en jouissant mieux, sentir toujours avec la même vivacité.

Il n'est jamais impossible de réduire le pouvoir des habitudes auxquelles on a laissé prendre un trop grand ascendant ; mais ce pouvoir est comme tous les autres : il est bien plus aisé sans doute d'en prévenir la naissance que d'en arrêter les progrès.

Quelque entraînant que soit le charme d'une sensation présente, l'expérience a prouvé mille fois qu'il pouvait être détruit par celui de plusieurs sensations passées, dont il nous restait encore un souvenir assez vif. Ainsi notre sagesse dépend souvent de l'intensité de notre mémoire, ou de la vivacité de notre imagination.

Pour combattre l'influence de

certaines impressions physiques, on emploiera donc avec plus de succès d'autres impressions physiques qui les effacent ou les contrarient, que toutes les forces réunies du sentiment et de la raison.

C'est ainsi qu'en s'accoutumant à des exercices plus ou moins pénibles, l'on pourra se défaire insensiblement de ces habitudes de mollesse dont il est si difficile de se défendre, grace à toutes les inconséquences de notre éducation, à toutes les servitudes de notre manière d'être.

Nous avons une grande disposition à devenir machines, c'est-à-dire, à être le lendemain ce que nous avons été la veille, à faire et à sentir ce que nous faisons et ce que nous sentons, sans aucun choix , sans aucune réflexion. Ce qui n'est guère moins vrai , c'est qu'il est peu de choses que nous fassions ni plus surement ni mieux, que ce que nous faisons ainsi machinalement.

De cette expérience, qui pourrait donner lieu, je crois, à plusieurs observations importantes, je ne tirerai dans ce moment que ce seul résultat : que s'il est beaucoup de rapports où l'on doit craindre de se laisser aller à cette manière d'être purement machinale, il en est d'autres où l'on peut le désirer le plus raisonnablement du monde.

Beaucoup d'habitudes sont utiles, essentielles, qui n'ont cependant en elles-mêmes que peu ou point d'intérêt. De ce nombre sont certaines habitudes d'exercice, d'ordre, de propreté, de soin, de complaisance, qui tiennent à des détails, ou pénibles, ou monotones, ou minutieux. Il est bon de s'accoutumer à faire machinalement tout ce qu'il est utile de faire, et qu'on ne ferait point d'ailleurs sans peine ou sans effort.

CHAPITRE VI.

Morale du sentiment.

Nous sommes portés naturellement à aimer l'ordre et l'harmonie.

Nous sommes naturellement doux et compatissans.

S'il est des habitudes ou des passions qui troublent ces dispositions naturelles, il ne faut pas plus les attribuer à la nature de notre être moral, qu'on ne doit attribuer à la nature même de notre être physique, des modifications accidentelles qui dépendent ou de quelque vice particulier dans les organes, ou simplement d'un état de convulsion plus ou moins extraordinaire, plus ou moins violent, plus ou moins passager.

Les cruautés qu'inspire la colère ou la vengeance prouvent si peu contre ce sentiment de compassion qui nous est naturel, que c'est souvent ce sentiment-là même qui les fait naître ou qui en est la suite.

Il existe dans la société différens états qui semblent faits sans doute pour étouffer tout sentiment naturel de compassion; mais il se trouve heureusement d'assez longs intervalles entre les fonctions cruelles de ces états de violence et de destruction , qui laissent au cœur la liberté de se recueillir en lui-même, et de reprendre sa sensibilité naturelle.

Pour conserver à ce premier ressort de toutes les impressions morales l'élasticité dont il a besoin , craignons également de le rendre ou trop faible, ou trop susceptible.

Évitons ce qui nous familiariserait inutilement avec l'image de la peine ou de la doulenr, mais accoutumons-nous à voir sans faiblesse et la peine et la douleur que nous pouvons espérer d'adoucir ou de soulager.

Voulez-vous traduire le sentiment

ment de la compassion dans le langage de la raison? dites comme le législateur des Brames : Ne faites jamais aux autres ce que vous ne voulez point qu'on vous fasse à vous-mêmes. On n'a rien dit en morale de plus simple et de plus vrai.

Il est sans doute encore plus beau de dire comme le législateur des Chrétiens : Faites pour les autres tout ce que vous désirez qu'on fasse pour vous. Mais la première de ces maximes est une règle de justice; la seconde n'est peut-être qu'un principe de vertu, de générosité.

N'entendre par compassion que le mouvement de trouble et de

pitié qu'on éprouve à l'aspect de la peine ou de la douleur, c'est trop resserrer encore le sens de ce mot; c'est borner à un seul de ses effets l'action d'un principe ou d'une faculté dont l'influence est naturellement beaucoup plus étendue.

Compatir, c'est s'identifier en quelque sorte avec l'objet qui nous frappe ou nous intéresse; c'est confondre, pour ainsi dire, son existence avec la nôtre, ou la nôtre avec la sienne.

Le sentiment qui nous attache à nos amis, à nos parens, à la famille, à la société dans laquelle nous sommes accoutumés à vivre, dépend de cette disposition naturelle à nous identifier avec ce qui nous touche et nous intéresse ; il en dépend comme la pitié que nous inspire la vue d'un être qui souffre. Cette disposition est ce qu'on a voulu exprimer, je pense, par le mot *sympathie*.

Il est des sympathies qui ont une grande force, parce qu'elles sont subites, imprévues ; il en est d'autres qui ne naissent que d'une longue habitude.

Ceci nous conduit à parler de l'amour, de l'amitié, du patriotisme, de la religion.

L'amour n'est d'abord sans doute qu'un besoin physique ; mais qu'il devient aisément un besoin du cœur ! Ce passage est si facile, si naturel, si nécessaire, qu'on ne peut guère chercher ailleurs l'origine de la sociabilité.

L'homme heureux avec l'être qui lui fit goûter la volupté suprême, ne s'en éloigne qu'à regret, cherche à le rencontrer sans cesse, le retrouve sans cesse avec de nouvelles délices, s'y attache, ne veut plus s'en séparer; et d'une liaison si douce naissent tous les rapports de l'homme social.

Amour, dont le saint nom fut tant de fois profané, amour, dont la religion et la vertu proscrivirent tant de fois le culte et les autels, amour, sans toi l'homme errant encore dans les forêts, n'eût connu ni bonheur, ni vertu !

Quand tout semble isoler l'homme, c'est ton pouvoir qui le rapproche de ses semblables, qui réveille sa sensibilité, qui ranime en lui cet instinct céleste qui le dispose à la douceur, à la bienveillance, à la pitié. Amour, nous te devons un instinct plus nécessaire encore à notre bonheur, à la perfection de notre être.

Ce que nons appelons bonheur, qu'est-il autre chose qu'un sentiment plus vif, plus pur, plus étendu de notre existence ? C'est le charme de l'amour qui le fit éprouver à l'homme pour la première fois ; c'est ce charme divin qui l'identifie de la manière la plus intime avec l'objet de sa tendresse, qui en fait un autre lui-même, mais un autre lui-même qu'il préfère à soi. C'est ainsi que ce sentiment, la plus sublime de toutes nos affections naturelles, double et embellit notre existence; c'est ainsi qu'il anéantit le principe le plus destructeur de tout sens moral, ce froid égoïsme, cet amour de soi qui ressemble à la haine, resserre l'ame au lieu de l'épanouir, et comme l'avarice, ne vit que d'inquiétude et de privations; c'est ainsi que ce sentiment trop méconnu dispose une ame sensible à tous les efforts, à tous les sacrifices que peut exiger la gloire ou la vertu.

Je n'oublie point les dangers qui environnent la source des plus pures délices et des plus aimables vertus ; mais ce n'est point ici le lieu d'en parler.

Les plus grands torts qu'on puisse reprocher à l'amour tiennent à des circonstances qui lui sont étrangères, au vice de nos institutions sociales : ne vit-on jamais d'heureuses lois écarter les désordres qui marchent à sa suite?

S'il n'y avait jamais eu d'amans, peut-être n'y aurait-il jamais eu d'amis. L'attrait caché, mais souvent irrésistible, qui entraîne l'homme vers telle femme plutôt que vers telle autre, ne suppose pas une sensibilité aussi développée que le sentiment de ces rapports fins et déliés qui nous attachent plus particulièrement à telle liaison d'amitié qu'à telle autre.

Il n'y a encore, ce me semble, qu'une ame exaltée par l'amour qui ait pu devenir susceptible de toutes ces préférences délicates qui font naître l'amitié, et qu'elle seule inspire (1).

---

(1) On peut m'opposer l'exemple de plusieurs nations sauvages et de quelques nations très-civilisées, qui ont connu la passion de l'amitié, sans paraître avoir aucune idée de celle de l'amour. Je sens la force de l'objection,

S'aimer dans les autres, c'est vraiment là ce qui distingue l'homme moral de l'homme sauvage ou isolé ; ce mystère divin

---

et je n'ose dire ici tout ce qu'on pourrait y répondre. J'observerai seulement que les Sauvages étant toujours à la chasse ou à la guerre, ce n'est qu'entre hommes qu'il peut exister chez eux quelque rapport suivi d'intérêt, de goût, d'habitude. Lorsque les Grecs furent civilisés, ils continuèrent encore de vivre séparés des femmes; et l'on sait à quels égaremens s'abandonna le sentiment de l'amitié chez ce peuple si aimable et si corrompu. Mais de telles exceptions ne détruisent pas, ce me semble, le résultat d'une observation fondée sur l'expérience la plus simple, la plus commune.

de la nature humaine, un Dieu seul a pu nous l'apprendre, et ce Dieu c'est l'Amour.

S'aimer dans les autres, ce mot seul explique tous les sacrifices que l'amour, l'amitié, la gloire et le patriotisme ont obtenus de la faiblesse humaine.

C'est contre un sentiment plus vif de son existence qu'on s'est déterminé à échanger des années, une vie entière de jouissances moins vives.

Comment ne pas adorer une si noble résolution, lorsqu'il en résulte pour toute une société, quelquefois même pour l'humanité entière, un avantage qui ne pouvait être obtenu qu'à ce prix?

* * *

Je ne veux parler ici de la religion que comme d'un sentiment naturel. Je ferais mieux peut-être de l'appeler instinct... Ce sentiment, quoi qu'il en soit, appartient, ce me semble, à la nature de l'homme ; je le trouve chez tous les peuples de la terre. J'en crois retrouver le germe au fond de mon cœur, indépendant de toutes les lumières et de toutes les incertitudes auxquelles mon esprit a pu se livrer sur cet abyme éternel de dispute et de méditation.

L'homme le plus sauvage n'est jamais frappé vivement d'un

grand phénomène, d'un bien ou d'un mal tout-à-fait imprévu, sans en chercher, sans en voir, sans en imaginer, sans en craindre ou sans en révérer la cause; véritable ou non, visible ou cachée, elle ne tarde guère à devenir l'objet de son culte et de ses adorations.

Un sentiment secret de notre faiblesse et de notre dépendance nous porte à désirer l'appui de quelque être d'un ordre supérieur, à qui sans doute il paraît naturel d'attribuer la puissance et toutes les perfections dont nous nous sentons le besoin.

Quand tous les efforts de la méditation ont atteint les preuves de de l'existence d'un Être suprême, ce n'est peut-être encore que sous ces rapports simples et grossiers, que cet Être suprême peut exister pour nous, ou que nous pouvons nous en former quelque idée.

Quoi qu'il en soit, n'est-ce pas une chose infiniment douce au cœur de l'homme de bien, que de se recueillir dans l'idée d'un être doué de toutes les perfections que notre intelligence peut concevoir, de l'avoir pour témoin de ses actions et de ses pensées les plus secrètes, de se rappeler souvent que tout vient de lui, pour supporter le mal avec plus de patience, pour sentir le bien avec une reconnaissance plus vive et plus pure ?

L'habitude d'un culte de respect et d'amour pour le plus parfait des êtres semble élever l'homme au-dessus de lui-même. Si Dieu n'existait pas, disait M. de Voltaire, il faudrait l'inventer.

C'est précisément parce que les hommes n'ont jamais manqué de se faire une religion à leur fantaisie, lorsqu'ils n'en ont point connu d'autre, qu'on doit leur en laisser une qui, loin de leur nuire, puisse servir à les rendre plus raisonnables et plus heureux (1).

---

(1) A l'incrédulité devenue dominante, on a presque toujours vu suc-

J'ai le malheur d'entendre comment tant de religions, ou pusillanimes, ou sanguinaires, ou tout à-la-fois l'un et l'autre, ont pu rendre la religion odieuse à de vrais amis de l'humanité : mais comment oublier qu'une religion simple et pure est le plus ferme appui de la faiblesse humaine ; qu'elle rend la vertu plus sublime

---

céder les superstitions les plus vagues, les plus folles. Voyez de nos jours le succès des Cagliostro, des Mesmer, des Martinistes. On se lasse bientôt de ne plus croire ; et l'imagination du vulgaire des hommes errant avec peine dans l'incertitude, éprouve sans cesse le besoin de se fixer, le besoin très-impérieux de se voir soumise ou charmée.

et plus touchante ; qu'elle soulage l'infortune ; qu'elle inspire au malheur un courage surnaturel ; qu'à l'espérance, la première et la dernière illusion de la vie, elle donne l'éternité en partage ? O sublimes idées de l'Être suprême et d'une existence éternelle ! que sont près de vous les plus étonnantes combinaisons de la science et du génie, toutes leurs découvertes, toutes les merveilles de leur calcul ?

Mon ame a béni mille fois l'instant où l'esprit de l'homme osa s'élever jusqu'à ces hauteurs infinies. Quelque faibles que soient les rayons que laisse tomber sur nous leur immense lumière, mes yeux éblouis ne les aperçoivent jamais sans un ravissement d'amour et d'admiration.

Ah! s'il était possible d'acquérir de plus vives certitudes sur des objets qui surpassent de si loin toutes les mesures de l'intelligence humaine, les paierait-on trop du sacrifice de tous les biens que nous permet d'espérer le cercle étroit de notre destinée actuelle?

* * *

On pensera peut-être qu'il est encore d'autres sentimens naturels dont j'aurais dû parler ici, tels que la pudeur, la piété filiale, l'amour de la liberté, le désir de la gloire, celui de l'immortalité; mais tous ces sentimens, quelque vrais, quelque naturels qu'ils paraissent, tiennent au développement de ceux que nous avons déja indiqués, ou sont dès leur naissance tellement modifiés par la nature de nos institutions sociales, qu'il semble aujourd'hui presque impossible de les reconnaître dans leur simplicité primitive. Il est des siècles, des nations entières où vous pouvez à peine en retrouver quelque faible vestige.

La pudeur est sans doute un des premiers charmes de l'amour; elle voile avec le même soin ce qui peut augmenter nos désirs, ce qui pourrait nuire à leur douce illusion; elle prête au sexe le plus faible une arme de plus pour résister, et pour relever par sa résistance même le prix d'un triomphe qui dans le moment ne coûte pas plus à sa gloire qu'à son bonheur, mais qui par ses suites peut sans doute compromettre de la manière la plus funeste l'un et l'autre. Tout ce qui est au-delà nous paraît dépendre d'opinions factices plus ou moins sages, plus ou moins utiles.

Si le premier de tous les liens fut l'amour, la tendresse maternelle fut le second; c'est de la reconnaissance, c'est du pouvoir de l'habitude, que la piété filiale tient sa plus grande force ; s'il s'y mêle quelque autre rapport, quelque analogie de traits, de goûts, d'inclinations, ce lien sans doute en deviendra plus puissant. Il paraît cependant fort douteux que ce rapport seul, quel qu'il puisse être, résiste aux efforts du temps, de l'absence, et de mille autres événemens capables d'en effacer jusqu'aux moindres traces.

Ce qui peut arrêter l'exercice de nos forces, ce qui peut suspendre le développement de nos facultés, ce qui peut en un mot resserrer ce sentiment de notre existence, la source première de toute espèce de bonheur, est évidemment contraire à la nature de l'homme.

Il est donc de la nature de l'homme d'aimer la liberté qui le fait jouir de toutes ses forces, il est de sa nature de chérir la gloire qui ajoute à l'opinion qu'il a lui-même de ses forces, celle qu'en ont les autres. Il est de sa nature enfin, de désirer l'immortalité qui donne au sentiment de son existence toute l'étendue, toute la durée que ses vœux peuvent concevoir.

Je n'ai jusqu'ici consulté que les mouvemens de mon cœur ;

cherchons l'accord qui doit régner entre ces mouvemens et les lumières de ma raison.

CHAPITRE VII.

Morale réfléchie.

Il n'est point de principe qui appartienne plus surement au systême de vérités que notre esprit peut embrasser avec confiance, que celui dont nous reconnaissons toujours également la justesse, à quelque objet de nos pensées, de nos calculs, de nos affections que nous essayions de l'appliquer.

Or je n'en vois point qui porte plus évidemment ce caractère, que le principe de l'ordre. Cet accord de toutes les parties, qui forme un ensemble heureux, un tout régulier, et le fait paraître à nos regards ce qu'il doit être, ni plus, ni moins; cet accord est la perfection que nous cherchons dans les ouvrages de la nature et de l'art; cet accord sublime est la vérité que nous cherchons dans nos pensées et dans nos calculs; c'est la beauté qui captive nos désirs et nos affections; c'est encore la source de cette bonté morale qui fait dans ce moment l'objet de nos recherches.

Aristote, Horace et tous ceux qui ont traité à leur exemple la théorie des beaux-arts, ont établi pour principe qu'un ouvrage

n'était

n'était beau, qu'autant qu'il était un, c'est-à-dire, que toutes les parties dont il était formé conspiraient par un accord heureux à en faire un seul tout.

Marc-Aurèle, Epictète ont dit également : Un homme n'est bon qu'autant qu'il est un, c'est-à-dire, d'accord avec lui-même.

Ces principes d'accord, d'unité, de liaison, d'ensemble, se retrouvent donc par-tout.

Qu'est-ce qu'un homme d'accord avec lui-même ?

C'est l'homme dont toutes les facultés se trouvent avoir entre elles le rapport qu'elles doivent avoir

C'est l'homme dont toutes les

actions, dont toutes les pensées, dont toutes les habitudes se dirigent vers un même but, la conservation et le perfectionnement de son être.

Cette dernière vue me paraît d'autant plus juste, que l'homme est, par sa nature même, dans un espèce de mouvement continuel dont le progrès tend nécessairement ou à le détruire, ou à le perfectionner.

De tous les êtres que nous connaissons, c'est sans contredit le seul qui se perfectionne ou se dégrade d'une manière aussi sensible, aussi marquée.

Il n'est point de vertus, je ne parle point ici de celles qui ne sont que de convention, qui tiennent à quelque système particulier de législation civile ou religieuse ; il n'est point de vertu naturelle qui ne contribue à la conservation, au perfectionnement de notre être; il n'est aucun vice dont l'habitude ne détruise ou ne dégrade au moins quelqu'une de nos facultés.

Un des premiers points de la morale réfléchie, est donc de trouver et d'établir le rapport de la mesure de nos forces, à l'exercice qu'il convient d'en faire pour les conserver ou les accroître.

Si nous ne faisons pas de nos facultés tout l'emploi que nous en pouvons faire sans fatigue et sans effort, nous les verrons diminuer insensiblement, et se perdre enfin tout-à-fait.

Beaucoup d'hommes abusent de bonne heure d'une partie de leurs forces, et l'épuisement particulier qui en résulte, influe bientôt sur l'organisation entière de la machine; mais il est, je crois, bien peu d'hommes qui aillent aussi loin que l'ensemble de leurs forces pouvait le permettre, et c'est-là sans doute une des principales causes de la dégradation du genre humain, de l'espèce d'enfance où nous le voyons vieillir.

Quittez un travail, un exercice quelconque l'instant qui précède celui de la lassitude; faites chaque jour quelque pas de plus, à mesure que vous sentez l'accroissement de vos forces, et vous arriverez à un terme auquel vous n'auriez jamais osé aspirer, en mesurant de l'œil l'espace que vous aviez à parcourir du point dont vous êtes parti (1).

Combien d'hommes ressemblent à ce duc d'Olonne, qui avait parié qu'il traverserait le grand bassin des Tuileries, et qui arrivé

---

(1) Une des preuves les plus frappantes du progrès inouï dont les forces de l'homme sont susceptibles, lorsque l'exercice en est ainsi gradué et longtems soutenu, c'est ce que nous rapportent les anciens sur la vie des athlètes; c'est ce qu'on voit tous les jours sur les

au milieu, aima mieux convenir qu'il avait perdu, et revenir sur ses pas, que de passer à l'autre bord!

Nous avons dit qu'entre les différentes facultés de notre être, il existait un rapport sans lequel l'homme ne pouvait acquérir cette bonté morale, qui n'est que la plus grande perfection où sa nature puisse atteindre. Ce principe exige quelques développemens.

---

tréteaux des Boulevards: de vrais prodiges de force et d'adresse exécutés par les derniers des hommes; parce que dès leur plus tendre enfance on dirigea vers ce but toute l'énergie de leurs muscles, toute la souplesse de leurs mouvemens, toute la patience de leur attention.

Si notre jugement n'est pas en raison de notre esprit ou de notre mémoire, c'est-à-dire, si la faculté que nous avons de saisir la justesse ou la vérité des rapports, n'a ni la force, ni l'étendue nécessaire pour s'appliquer heureusement à la multiplicité de nos idées, il est évident que nous nous laisserons entraîner dans une infinité d'erreurs et de préventions de toute espèce. Si notre goût n'est pas en raison de notre imagination, c'est-à-dire, si la faculté que nous avons de saisir la justesse ou la convenance des images que nous offre le souvenir de nos sensations, n'a ni l'étendue, ni la force nécessaire pour s'appliquer heureusement à la multiplicité de ces images, il est évident que nous nous laisserons éblouir par des conceptions pleines d'absurdité, d'incohérence, de faux brillans. Si la fermeté du courage l'emporte toujours sur la sensibilité, il est à craindre qu'elle ne dégénère en férocité. Si la sensibilité est extrême, il n'est pas moins à craindre qu'elle ne dégénère en faiblesse. Si nos désirs ne sont pas en proportion avec nos forces, nous éprouverons les supplices de l'inquiétude, ou les langueurs de l'indifférence et de l'ennui. C'est donc ce juste équilibre entre les différentes facultés de notre être, qui maintient la perfection de l'ensemble, qui laissant à chacune le degré d'activité qui lui convient, en rend l'exercice plus facile, et les fait conspirer toutes au même but.

Nous venons de rappeler ici la perfection métaphysique de l'homme.

Si dans tout le cours des siècles qu'embrasse notre histoire, l'on ne peut excepter qu'un très-petit nombre d'hommes qui ait touché à ce dernier terme de force, de lumière, de puissance, fixé par la nature même, il en est peut-être encore moins, dont les facultés développées dans le degré le plus éminent, aient conservé entre elles ce juste équilibre que nous avons regardé comme l'idéal de la perfection humaine.

La chaîne des circonstances physiques et morales pèse tellement sur les trois quarts et demi du genre humain, qu'elle oppose au développement de la plupart de leurs facultés un obstacle invincible; les secours que nous offrent nos institutions sociales ne favorisent guère le développement de quelques-unes de nos facultés qu'aux dépens de toutes les autres.

Ces observations trop incontestables, ne nous laissent que deux idées consolantes; la première, c'est que moins nos facultés sont développées, et plus il s'établit facilement entre elles ce rapport, cet équilibre nécessaire à leur conservation; de-là plus de repos, moins d'inquiétudes, moins de peines imaginaires, les plus sensibles de toutes, dans les dernières classes de la société.

Un autre adoucissement à l'inégalité des progrès que les hommes font dans l'ordre social, c'est la manière dont ils s'y trouvent placés; les chances de ce jeu ne sont pas toujours, je le sais, ni fort justes, ni fort équitables; mais il est pourtant vrai qu'en général ce que les circonstances ont refusé à tel individu de la société, y peut assez facilement être suppléé par les ressources prodiguées à tel autre. Au sein de tant de combinaisons multipliées, il se forme une masse universelle de forces, de richesses et de lumières, où chacun peut échanger avec plus ou moins d'avantage ce qu'il a de trop, contre ce qui lui manque le plus essentiellement.

La société la mieux organisée est peut-être celle où cette sorte d'échanges se fait avec le plus justice, d'aisance, et de bonne-foi.

Pour tout homme qui a une patrie, point d'autre loi, point d'autre morale que le plus entier dévouement aux lois de la patrie : il il n'a plus d'existence à lui ; sa conservation, son bonheur dépendent de la conservation, de la prospérité de son pays : il tient tout de la patrie ; c'est à la patrie qu'il doit tout, qu'il rapporte tout ; et c'est, si j'ose m'exprimer ainsi, la conscience publique qui répond de la sienne.

De grandes vertus naissent sans doute de cette manière d'être, de cette grande victoire remportée par la législation sur la nature même ; mais quelque admiration que m'inspirent ces grandes vertus, je conçois un état de société que j'ose lui préférer, parce que je le crois plus favorable au bonheur général de l'humanité, au développement de toutes les forces et de toutes les lumières ; c'est celui où le bonheur de l'État, fondé sur des lois sages et une grande puissance, exige moins de sacrifices, parce qu'ils lui sont moins nécessaires, et laisse aux particuliers une plus grande portion de liberté, parce que les abus même de cette liberté ne lui laissent plus rien à redouter. C'est-là que des institutions habilement combinées, loin d'enchaîner l'esprit, le talent, le génie, peuvent leur prodiguer les ressources et les encouragemens; c'est-là que l'homme jouit à-la-fois de toutes ses forces naturelles, et de cette espèce de force factice qui, née de l'influence sociale, la reproduit à son tour, et ne cesse d'exalter l'énergie et l'activité de toutes les facultés individuelles.

Quelques charmes que l'éloquence du citoyen de Genève ait pu donner à toutes ces vaines déclamations contre la corruption du siècle, il est bien temps de les abandonner aux plus fades des poètes, ou à ces tristes philosophes si dignes de la barbarie qu'ils regrettent.

L'homme ne peut plus se considérer comme un être isolé ; son existence morale dépend de ses relations avec ses semblables, et cette existence peut devenir plus heureuse au milieu de nos grandes sociétés que par-tout ailleurs, pourvu qu'il y conserve ce désir de se perfectionner, que l'objet primitif de toute institution sociale tend à exciter, à satisfaire, à entretenir.

Le premier moyen sans doute de nous acquitter envers la société de tout ce que nous lui devons, c'est d'acquérir toutes les perfections dont nous sommes susceptibles; ce principe est d'accord avec le vœu de la nature, avec tous les calculs de l'intérêt personnel.

Le second moyen d'acquitter une dette si sacrée, c'est d'employer au service de nos semblables, les forces et les qualités que nous pouvons avoir acquises. Ce principe est encor d'accord avec le vœu de la nature, avec le sentiment de compassion que nous trouvons tous au fond de nos cœurs, comme la première de toutes les impressions morales.

Se soumettre à l'ordre établi par la loi, ou renoncer aux avantages qu'il nous procure, le respecter tant qu'il subsiste, ou que l'on n'aura point déterminé les auteurs ou les garans de la loi à en adopter un autre, est un principe qu'il suffit encore d'énoncer pour en faire sentir toute l'évidence; et c'est sur ces trois principes que repose, ce me semble, toute la morale de l'homme social.

On peut supposer, si l'on veut, la possibilité de voir développer une grande partie des facultés de l'homme moral, au sein de la plus profonde solitude; mais en admettant même une supposition si romanesque et si peu vraisemblable, il n'en sera pas moins évident qu'il est un grand ressort donné à la pensée et à l'activité de l'homme, qu'il ne peut tenir que de la société. C'est le pouvoir de l'opinion publique, ce pouvoir magique qui, du sein même des vices et des passions les plus dangereuses, a fait germer tant de vertus, tant de grandes pensées, tant de belles actions.

L'illusion de ce pouvoir tient encore à un sentiment très-naturel, ce besoin d'étendre notre existence, d'en prolonger la durée, d'en reculer les limites. Il est aisé de voir que rien ne peut donner à l'homme l'espérance d'aller seul aussi loin que peut le porter l'élan de l'opinion publique. C'est elle qui le fait vivre dans les autres, qui soumet en quelque manière à sa pensée les esprits, les temps, les lieux les plus éloignés de lui, et le détermine, s'il le faut, à s'immoler soi-même pour jouir, ne fût-ce qu'un instant, de la plus haute existence que puissent concevoir ses vœux.

Je prends ici l'exemple des hommes les plus distingués, pour exprimer plus vivement mon idée : appliquée aux hommes vulgaires, elle n'en est pas moins vraie.

Ce qu'on ne fait pas pour l'opinion des siècles, on le fait pour celle de sa ville, de son quartier, de sa maison, de sa société la plus intime; mais c'est toujours en raison du même principe. L'opinion de ceux qui nous entourent fait une partie essentielle de notre existence ; elle augmente ou diminue très-réellement nos forces, le pouvoir de bien ou mal faire; et le plus grand tort peut-être que puisse avoir l'homme en société, c'est de ne pas la respecter comme le génie tutélaire de son bonheur et de sa sureté. C'est sous ce rapport que le soin d'acquérir de la fortune, de la conserver et de l'augmenter, devient un des soins indispensables de l'homme qui veut faire tout le bien qui peut dépendre de lui. L'argent, la fortune, la considération sont très-véritablement pour l'homme qui vit en société, ce que la force et l'agilité du corps sont pour le Sauvage.

Toutes les passions, lorsqu'elles ne troublent ni l'ordre public de la société, ni l'ordre intérieur de notre être, sont autant de bienfaits de la nature; c'est le principe du mouvement qui, dans le monde moral comme dans le monde physique, entretient la chaleur et la vie. Comme il n'est aucune passion qui ne puisse troubler notre repos et notre bonheur, il n'en est aucune qui ne devienne dangereuse, lorsqu'elle échappe à l'empire que la raison doit conserver sur toutes nos affections. Conserver de l'empire sur soi-même, voilà sans doute la grande étude de l'homme, la plus difficile si on s'y applique trop tard, mais toujours la plus essentielle.

S'accoutumer à une grande

présence d'esprit , ne point se laisser aller à ses idées, les suivre , les écouter, les prévenir , les diriger , réprimer souvent ses fantaisies les plus innocentes, contrarier souvent ses habitudes, même les plus indifférentes , fortifier son jugement à force de réflexions, et se défier sans cesse de ses premiers aperçus , disposer continuellement son esprit à s'ouvrir à de nouvelles lumières, sans prévention et sans légèreté, exercer son caractère à remporter des victoires plus ou moins aisées sur les penchans , sur les goûts qui tendent à le dominer , revenir souvent dans les momens de calme sur les impressions passées, pour les apprécier mieux, pour en calculer les suites, pour en jouir avec plus de modération, ou pour y renoncer entièrement; être toujours dans une sorte de guerre avec soi-même, faire intérieurement tout ce que fait un bon citoyen dans l'État pour en maintenir la liberté; ce sont des conseils répétés il est vrai plus d'une fois par tous nos moralistes, mais qui n'en sont pas moins utiles; et pour les suivre, il ne faut assurément que le bien vouloir.

CHAPITRE

CHAPITRE VIII.

Conscience, Remords.

LES idées vagues qu'on a trop souvent attachées à ces deux mots, m'ont empêché de m'en servir.

Qu'est-ce que la conscience, si ce n'est ce sentiment intérieur de ce qui convient ou ne convient pas à la nature de notre être?

Qu'est-ce que le remords, si ce n'est le sentiment pénible du mal que nous nous sommes fait à nous-mêmes ou aux autres?

Ce qui distingue cette impression, ce qui doit la faire regarder en effet comme un des premiers ressorts de la moralité de nos actions, c'est son énergie, sa puissance et sa longue durée : elle domine sur les passions qui semblent lui être le plus contraires, résiste à leurs emportemens, trouble encore leurs plus vives jouissances, nous fait trahir malgré nous nos plus chers intérêts, et prolonge souvent jusqu'au dernier terme de la vie les suites funestes d'un seul instant de faiblesse ou d'abandon ; c'est un poison destructeur dont les effets sont plus ou moins lents, plus ou moins rapides ; l'éloignement des temps et des lieux pourra sans doute ou les suspendre, ou les affaiblir ; mais il n'y a que de nouveaux efforts de vertu qui puissent en arrêter surement les ravages.

Je doute s'il exista jamais un homme assez dépravé pour ne point connaître le pouvoir de ce sentiment ; et quand il aurait existé, quand il existerait encore, que prouverait une pareille exception ?

Je comprends à la vérité comment ce qui me laisserait d'éternels remords, pourrait ne point troubler la tranquillité d'un autre ; mais n'en ai-je point indiqué la véritable raison ? Ce qui influerait de la manière la plus sensible sur la nature de mon être, pourrait ne point altérer celle d'un autre; ce qui suffirait pour égarer mon imagination, pourrait ne troubler en rien la sienne ; ce qu'exige l'activité de ses passions détruirait à jamais le repos de ma vie; ce qui pour lui ne serait qu'un goût passager, laisserait dans mon cœur un penchant irrésistible. Celui qui s'est permis d'immoler une victime que lui demandait une réunion de circonstances peut-être unique, éprouverait-il les mêmes regrets que celui qui, en faisant la même action, n'aurait eu ni les mêmes motifs, ni la même excuse ?

Ce qui rend un crime d'Etat

moins odieux que tout autre crime, ce n'est pas seulement la grandeur des intérêts qui l'ont nécessité, c'est encore l'idée qu'une pareille action se trouvant jetée, pour ainsi dire, hors du cercle ordinaire de la vie, ne saurait avoir la même influence sur nos sentimens qu'une action dépendante de nos rapports habituels.

Soyons toujours de bonne-foi : la même action qui vient d'avoir pour vous et pour votre ami les suites les plus fâcheuses, je l'avais commise avant vous ; quoique je me sois exposé en apparence aux mêmes dangers, il n'en est résulté aucun mal. Je ne puis me dissimuler que j'eus les mêmes torts; me les reprocherai-je aussi vivement? Non: et rien ne prouve mieux sans doute que le remords n'est en effet que le sentiment pénible du mal que nous nous sommes fait à nous-mêmes ou aux autres.

Je suis loin d'en conclure qu'il est de mauvaises actions qui ne laissent aucun remords, sans avoir aucun éclat nuisible; une action vraiment mauvaise nous dégrade toujours à nos propres yeux, et c'est un sentiment qu'il est impossible d'éprouver sans trouble et sans confusion.

Mon ame, graces au ciel, a peu connu jusqu'ici les tourmens du remords; je n'ai pourtant jamais oublié que dans mon enfance, à force de caresses et d'importunités, j'obtins d'une de mes sœurs un acte de complaisance qui exposait sa santé au danger le plus manifeste ; la fatigue extrême qu'elle daigna s'imposer pour me sauver une peine légère n'eut point, à la vérité, les suites qu'elle pouvait avoir ; mais, tout enfant que j'étais, j'en fus vivement alarmé ; je sentis combien ma personnalité avait été cruelle : j'en souffre encore, et tout ce que je pourrai faire pour cette sœur chérie ne m'acquittera jamais au gré de mon cœur.

CHAPITRE IX.

Persuasion.

UNE persuasion vive, habituelle, peut seule influer sur nos sentimens et sur nos actions.

Comme il ne dépend pas de nous de croire ou de ne pas croire, la persuasion n'est pas sans doute, à proprement parler, une disposition d'ame que nous puissions nous donner à volonté. En est-il moins vrai qu'à force d'étude et de méditation, nous parvenons à découvrir plus ou moins clairement les vérités qu'il nous importe de connaître ? En est-il moins vrai que lorsque nous avons reconnu une vérité quelconque, c'est l'intérêt que nous y attachons, c'est le soin que nous prenons de nous la rappeler, c'est enfin l'attention soutenue avec laquelle nous en faisons l'objet de notre application, de nos pensées, de notre amour, qui nous la fait embrasser avec une confiance plus ou moins vive, plus ou moins profonde ?

Ainsi, sans entreprendre vainement d'enchaîner notre opinion, d'exercer sur notre pensée un pouvoir chimérique, il n'est pas impossible de disposer notre ame à la persuasion, encore moins de porter la persuasion que nous ont acquise et nos lumières et nos réflexions, à un plus haut degré d'énergie et d'activité, et lui donner par-là même une influence plus réelle et plus durable.

Que la distance est encore immense, de l'homme qui connaît le mieux la vertu à celui qui s'est fait une douce habitude de l'aimer et d'y croire!

CHAPITRE X.

Perfectibilité.

Il est évident que l'homme est infiniment supérieur à tous les autres animaux, et par le systême général de son organisation, et par l'usage heureux que l'expérience et la société lui ont appris à faire de ses forces et de ses lumières. Mais à quoi tient donc ce degré de perfectibilité qui paraît lui appartenir exclusivement, du moins sous deux rapports frappans? Le premier, c'est que le terme de ce progrès est à-la-fois plus vague et plus éloigné ; l'autre, que la marche en est plus lente et plus imperceptible. L'extrême différence que l'on peut remarquer entre l'accroissement de l'homme et celui de tous les autres animaux, ne suffirait-elle pas seule pour résoudre le problême ? De tous les êtres organisés, l'homme est sans doute celui dont les forces croissent et se développent avec le plus de lenteur. Il passe à naître la moitié du temps destiné à remplir le cercle borné de son existence, et l'autre à mourir. Le degré de perfection auquel il peut espérer d'atteindre, sans pouvoir être déterminé avec la dernière précision,

l'est

l'est jusqu'à un certain point pour l'espèce, comme pour l'individu; et parvenu à ce degré, nous l'avons toujours vu forcé de s'arrêter, ou condamné à décheoir. Qu'en conclurons-nous? Que l'homme est de toutes les combinaisons organiques la plus ingénieuse, la plus compliquée, la plus parfaite, mais par-là même aussi la plus lente à se former, la plus subtile et la plus frêle. La grande souplesse que conservent ses fibres durant une si longue enfance, la progression graduelle mais insensible et lente de son accroissement, le rendent plus propre sans doute qu'aucun autre animal à recevoir les différentes formes et les différentes modifications dont sa nature peut être susceptible ; elles le rendent donc plus propre qu'aucun autre à participer aux avantages et aux inconvéniens de l'éducation et de la société.

Je pense, comme l'a dit l'Abbé Galiani, que la plupart des animaux ont un organe prédominant qui les subjugue, et qui détermine exclusivement leur instinct; mais je ne crois pas la règle sans exception, et je ne sais pas non plus si la plupart des hommes ne ressembleraient pas encore à cet égard aux animaux, s'ils fussent demeurés isolés dans les forêts. Ce qu'il y a de sûr, c'est qu'aujourd'hui même, tout dénaturés que nous sommes par nos institutions sociales, nous rencontrons encore assez souvent des hommes qui paraissent déterminés par un ascendant invincible à s'appliquer à une seule chose, et seraient tout-à-fait incapables d'en faire une autre. Comment la Fontaine n'aurait-il pas fait des Contes ou des Fables? comment Gessner n'aurait-il pas fait des Pastorales ou des Idylles?

CHAPITRE XI.

Amour.

BEAUCOUP de gens d'esprit ont pensé, un grand philosophe même a dit qu'il n'y a que le physique de l'amour qui soit bon, et que le moral n'en vaut rien.

Autant vaut-il répéter encore après d'autres philosophes, que l'homme a cessé d'être heureux depuis qu'il ne marche plus à quatre pieds. Sans doute plus nos jouissances sont simples et bornées, moins nous éprouvons le tourment des besoins, plus il nous devient aisé de les satisfaire.

Mais comment proposer à l'homme sensible de renoncer par sagesse aux plus douces émotions du cœur et de l'imagination? Pourquoi vouloir en dépouiller le seul de nos besoins physiques qui en soit susceptible ? C'est ce sentiment même qui les a fait naître : sans lui du moins, l'homme ne les eût-il pas ignorés toujours ? Et que lui servirait enfin d'avoir un cœur et de l'imagination , si ce n'est pour aimer mieux ?

Que des idées morales mêlées aux illusions de l'amour exaltent cette passion , lui donnent souvent trop de violence et trop de pouvoir , est-ce une raison d'oublier tous les sacrifices utiles que cette passion s'est imposés elle-même par respect pour ces idées morales qui lui prêtent tant de douceur et de charme ?

Il est bien rare de voir un homme moral par sentiment, qui ne croie plus à la religion, à l'amour, aux femmes.

Je ne conçois pas une manière d'exister plus heureuse que celle du mariage lorsque l'amour a présidé au choix, lorsque l'estime le justifie, lorsque la douce confiance en éloigne la contrainte et les soupçons , lorsque tous les goûts de l'esprit et toutes les affections du cœur viennent sans cesse en resserrer les liens et lui donnent chaque jour un nouvel intérêt, ou plus vif, ou plus tendre, ou plus doux.

Mais pourquoi charger notre cœur de plus de chaînes qu'il n'en saurait porter ? Pourquoi s'obstiner à vouloir prolonger encore la plus libre et la plus sainte de toutes les unions, lorsque la nature lui a prescrit elle-même un terme plus ou moins éloigné ? Comment empêcher les hommes de violer une institution qui, passant le but, a violé dès-lors elle-même une loi plus sacrée, celle du sentiment et de la nature ? Telle union pourra subsister jusqu'au dernier instant de la vie; telle autre, qui dans son origine semblait tout aussi raisonnable, sera loin d'avoir la même durée : être juste et bon, ou bien mourir, voilà tout ce qu'il faut promettre, rien de plus.

CHAPITRE XII.

Jalousie. .

C'EST parmi les passions ce qu'est parmi les maladies la rage, la plus inconcevable dans son principe, la plus difficile à guérir , la plus terrible dans ses effets.

Je ne me souviens pas d'avoir jamais existé plus malheureusement que le tems où j'ai éprouvé quelque atteinte de cette cruelle frénésie ; j'ai fait pour m'en délivrer le plus dangereux de tous les sacrifices, et je rougirais trop de cet aveu, si le souvenir des tourmens dont j'étais déchiré ne m'excusait encore en quelque manière à mes propres yeux.

Ce n'est que d'un extrême amour que peut naître une extrême jalousie. L'homme qui aime ainsi abandonne à l'objet qu'il adore toutes les affections, toutes les facultés, tout le bonheur de son être. Le soupçon ou la certitude, pour lui c'est la même chose, le soupçon ou la certitude qui lui ravit cet objet l'arrache à lui-même, et par le plus profond, le plus sensible de tous les déchiremens. La vengeance de Nessus, le supplice de Prométhée en offrent à peine une assez vive image.

A de tels maux quelle ressource peut laisser la raison ? Je tremble de le dire : quitter la vie, ou, ce qui en fait tout le prix, se résoudre à ne plus rien aimer.

CHAPITRE XIII.

Piété filiale.

LA tendresse des enfans pour leurs parens est la plus naturelle de toutes les vertus, le devoir le plus saint; mais peut-être n'est-ce qu'un devoir : la tendresse des parens pour les enfans est, ce me semble, quelque chose de plus, c'est un sentiment.

Il est encore plus facile de s'aimer dans ses enfans que dans ceux à qui l'on doit le jour ; le premier de ces rapports naît avec une sensibilité toute développée, l'autre l'autre existe long-tems sans elle : le premier appartient surement à la nature , l'autre ne dépend peut-être que de l'habitude ; mais si l'instinct du premier de ces sentimens est plus vif, la raison ne doit pas laisser à l'autre moins d'influence , moins d'énergie. Que de motifs pour révérer ceux à qui l'on doit la vie et les soins pénibles de la première enfance !

Il n'est point de prétexte, il n'est point de sophisme qui puisse altérer la sainteté d'un tel devoir.

CHAPITRE XIV.

Amitié.

Le charme de ce sentiment, comme celui de l'amour, n'est guère que pour la jeunesse. J'ai vu quelques vrais amans, je n'ai guère vu de vrais amis passé trente ans (1).

(1) Cette opinion a blessé quelques personnes. Mon cœur ne demande pas mieux que de s'être trompé. Mais je n'ai point voulu dire que des liaisons d'estime, de confiance, d'attachement ne fussent de tous les âges. Je n'ai parlé que de l'amitié passion : non-

Toute amitié dont on peut s'expliquer le motif mérite-t-elle encore ce nom trop souvent profané ? Ce n'est qu'une liaison de convenance, d'intérêt, de goût ; c'est un commerce de services plus ou moins généreux, plus ou moins équitable.

Une grande diversité dans l'esprit, le caractère, les prétentions ; un grand rapport dans les besoins imaginaires ou réels,

---

seulement je ne l'ai guère vu naître passé trente ans, j'ai même eu le malheur de la voir trop souvent s'éteindre à cette époque, où l'homme semble s'isoler à mesure que ses liens avec la société générale s'étendent et se multiplient.

voilà ce qui forme sans doute entre les hommes les liens les plus durables.

Il y a beaucoup de gens qu'on n'aime que parce qu'on est accoutumé à leurs défauts, ou qu'on les croit accoutumés aux siens.

Ce n'est qu'à force d'indulgence et de raison que les hommes parviennent à se supporter mutuellement; il n'y a point d'amitié qui puisse subsister longtemps sans cette espèce d'appui.

Combien peu d'hommes, combien peu d'amis pourraient se montrer l'un à l'autre tels qu'ils se voient au fond du cœur, sans se brouiller pour la vie!

Je ne mourrai pas sans avoir

connu le bonheur : j'eus une amie, et il m'est permis de penser qu'elle eut un ami véritable. Mon cœur et mes soins l'ont suivie jusqu'au tombeau, et il m'eût été doux de m'y renfermer avec elle. Puisque j'ai dû lui survivre, que ce soit du moins pour lui conserver encore un peu de temps cette ombre de vie, la seule qui reste à ceux qui ne sont plus, un culte assidu de souvenirs et de regrets (1).

---

(1) Que le motif de la piété envers ceux qui ne sont plus est exprimé d'une manière touchante dans Sophocle ! » La vie n'est qu'un instant, dit » Antigone, et l'amitié des humains » passe comme elle. Je leur préfère

Quand je rêve, me disait-elle quelques jours avant d'expirer, quand je rêve au repos, à la douceur de votre existence lorsque mes maux ne vous feront plus souffrir, je me console presque de me voir arrachée à tant de tendresse et d'attachement. Quelques larmes dans ce moment mouillaient ses yeux, et pour m'en distraire elle reprenait avec une sérénité céleste le plan de vie qu'elle avait arrangé pour moi. Son amitié s'efforçait ainsi de m'attacher aux bienfaits qu'elle m'avait forcé d'accepter, m'as-

---

» ces mânes que je dois bientôt rejoin-
» dre, c'est avec eux que je demeu-
» rerai toujours.«

surant qu'en jouir serait le plus doux hommage que je pourrais offrir à sa cendre.

Oh ! comme mon ame était attachée à la sienne ! oh ! comme mon existence était toute en elle ! Il m'a fallu des années entières pour m'habituer à l'idée de me voir seul au monde ; j'avais pris une si douce habitude de lui consacrer tous mes vœux , toutes mes pensées , de ne vivre que pour elle !

Il se mêlait cependant peu d'illusion au sentiment qui avait pu former une liaison si intime. Personne ne connaissait mieux qu'elle et mes torts et mes défauts ; mais son ame avait besoin de tout l'attachement de la mienne, et il n'y avait aucune de mes bonnes ou de mes mauvaises qualités qui ne fût dévouée à son empire. Son extrême confiance ne m'avait caché aucun de ses défauts; mais ce caractère de noblesse et d'élévation qui n'appartenait qu'à elle, ce naturel si vrai, si céleste, cette grace tout à-la-fois si pure et si familière; quels sont les défauts, hélas! quels sont les torts même que tant de charmes n'eussent fait adorer?

La personnalité semble détruire tous les droits de l'amitié, et l'on pouvait avec raison la soupçonner souvent d'une grande personnalité. Ne rapportait-elle pas tout à elle? n'exigeait-elle pas tout pour elle? Oui sans doute; mais que font ici les mots? Toute manière d'être devient bonne ou mauvaise suivant le principe qui la détermine ou les effets qu'elle produit; ce moi à qui elle avait l'air de tout rapporter, ce moi était moins le sien, qu'il n'était, pour ainsi dire, celui de tout ce qui l'entourait; elle ne s'aimait véritablement que pour être mieux aimée, pour répandre autour d'elle plus de charme et plus de bonheur. On était cent fois plus heureux de ce qu'on faisait pour elle, que de ce qu'on faisait pour soi. Le temps dont elle osait vous demander le sacrifice, il était plus doux de l'oublier près d'elle que de l'employer de toute autre manière ; le sentiment qu'elle vous inspirait était toujours au-dessus de l'empire qu'elle aimait à prendre sur vous ; vous pensiez jouir doublement de votre esprit, de votre ame, de tout votre être, après les avoir abandonnés à sa douce fantaisie.

Il n'est point de caractère qui sous ce charme intéressant ne parût s'adoucir : l'esprit devenait meilleur, le mérite plus aimable ; sa seule présence animait tout, et du plus vif désir de plaire, et de ce mélange heureux de réserve et de confiance qui fait toutes les délices de la sociéte.

Que ne puis-je, ô G.. m..! rendre immortel le culte que t'a voué ma tendresse ! Pourquoi faut-il mourir sans laisser quelque monument digne de porter ton nom aux siècles à venir! Que le mien demeure à jamais ignoré, j'y consens de bon cœur; mais combien j'eusse été consolé à mon heure dernière, en me disant à moi-même : Je la ferai vivre encore après moi !

CHAPITRE XV.

Richesse, Pauvreté, Avarice.

PUISQU'IL n'est point de jouissance du cœur, des sens, de l'esprit, de l'imagination, que l'on puisse suppléer à force de richesses, peut-être même aucune que l'on ne puisse obtenir sans leur secours, il est démontré, ce me semble, que la richesse ne saurait être regardée comme un premier moyen de bonheur.

Suivant les circonstances ou la disposition de ceux qui les possèdent, je crois qu'il est une manière

manière d'être que les richesses embarrassent, une autre qu'elles rendent plus facile. De cette comparaison je conclus que si la richesse n'est pas en effet un premier moyen de bonheur, elle est devenue, au moins dans l'état actuel des choses, pour la fortune des individus comme pour la fortune publique, un moyen de force et de puissance; c'est l'usage qu'on en fait qui le rend utile ou funeste.

Celui qui ne désire, ne demande, ne craint rien, est sans doute le plus libre des hommes; et cette indépendance absolue ne peut trouver d'asyle plus sûr que la pauvreté : mais un tel homme est l'œuvre des philosophes ou plutôt leur chimère ; ce n'est pas là l'homme de la nature. — Qui est-ce qui est heureux, disait d'Alembert? quelque misérable.

L'homme de la nature n'existe qu'autant qu'il jouit, désire, espère ; comment verrait-il d'un œil indifférent le moyen d'agrandir à-la-fois la sphère de ses désirs, de ses espérances, et celle de son pouvoir?

Je ne pense pas que les distinctions que l'on vient d'établir soient de vaines subtilités ; ce que l'on ne désirera plus comme un premier moyen de bonheur, comme le bonheur même, mais simplement comme un moyen de force et de puissance, comme une faculté de plus, on le désirera beaucoup plus raisonnablement ; ainsi l'on calculera bien plus juste les efforts à faire pour l'obtenir; on ne sacrifiera point le but aux moyens; on ne cherchera point à s'enrichir aux dépens de ses forces, de sa santé, de son bonheur, de sa considération, de son repos : car l'on se souviendra toujours que la richesse n'est quelque chose qu'autant qu'elle peut nous servir à conserver et à augmenter ces premiers biens, les seuls qui puissent donner quelque prix à la vie.

M. Wattelet disait qu'au-delà de dix mille livres de rente tout ce qu'on peut avoir de fortune n'est jamais que pour les autres. En supposant que le compte soit encore exact à l'heure qu'il est, il sera bon de considérer que dans quinze ou vingt ans, il risque fort de ne l'être plus, et qu'en tout cas le sage qui s'applaudirait de la modération avec laquelle il bornerait ses désirs à dix mille livres de rente, grace à l'observation de M. Wattelet, pourrait bien n'être encore qu'un sage très-personnel.

Ce qui m'a le plus dégoûté d'être pauvre, ce n'est assurément pas le bonheur des riches, ce n'est pas non plus le mépris qu'ils ont pour les pauvres; c'est la plate estime ou la sotte haine qu'ont le plus communément les pauvres pour les riches. Je serais bien fâché, je l'avoue, que qui que ce soit au monde pût me soupçonner de préventions si basses ou si puériles.

*

L'avarice est une passion beaucoup plus ridicule dans ses effets qu'elle n'est déraisonnable dans son principe.

Il est impossible de mépriser absolument une passion qui croît par la jouissance, qui anime encore l'âge le plus glacé, qui dans l'espèce de vague où elle promène sans cesse notre imagination, lui donne peut-être autant de sensations agréables qu'aucune autre.

Lorsque cette passion ne franchit pas de certaines bornes, elle sauve d'une infinité de faiblesses et garantit plusieurs qualités essentielles, l'esprit de calcul, l'esprit d'ordre, l'esprit de modération ; appliquée à la chose publique, elle peut devenir même une grande vertu.

CHAPITRE XVI.

Ambition ; Pouvoir.

Lorsque cette passion ne s'empare pas d'une ame vile ou d'un cœur féroce, quel plus sublime ressort de la grandeur humaine ? Elle étend notre être jusqu'aux limites du monde, et lui fait embrasser tous les siècles ; elle rapporte tout à soi, mais elle se rapporte elle-même à tout.

Si c'est une des passions les plus utiles et les plus funestes au bien de la société, il est encore plus sûr qu'elle fait bien rarement le bonheur de celui qu'elle domine. Il est de sa nature de voir sans cesse au-delà du but, et par conséquent, de ne jamais pouvoir se satisfaire.

Un Magistrat d'Athènes trouvant un jour le philosophe Diogène occupé à considérer attentivement une troupe d'enfans qui jouaient au petit palet, ne put lui cacher sa surprise. Quoi! c'est vous? — Oui, répliqua le sage, j'aime à voir atteindre au moins quelquefois le but. Ceux que tourmente la politique et l'ambition l'atteignent-ils jamais?

En appréciant les titres, les cordons, les dignités, les honneurs, tout ce qu'ils peuvent valoir, on n'y verra jamais, ce me semble, qu'une assez faible monnaie de la gloire.

Si par sa nature même la soif des honneurs n'est pas aussi forte que celle de la renommée, elle est peut-être plus inquiète, plus irritante, plus importune; les moyens de la satisfaire sont à la vérité moins rares, moins difficiles, mais on les doit encore plus communément aux caprices du hasard qu'aux qualités même les plus propres à mériter ce genre de récompense, et c'est une assez dure condition sans doute que celle d'attendre du pouvoir le plus incertain, le plus inconstant, le succès de tous ses vœux, de toutes ses espérances.

*

Ce qui peut porter le sentiment de notre existence au plus haut degré d'énergie étant la mesure du bonheur suprême, je ne suis point surpris de la passion qu'inspire à tout homme qui en est susceptible l'idée d'un grand pouvoir. Mais dans quelle circonstance cette orgueilleuse passion pourrait-elle être plus exaltée que le jour d'une action décisive, lorsqu'un seul homme se voit le maître de disposer à-la-fois dans une heure, dans un instant, du sort de tant de milliers d'hommes, qu'une seule de ses paroles, qu'un seul de ses gestes, retient ou précipite au gré de ses vœux ? Combien il doit alors se sentir élevé au-dessus de la sphère commune des destinées humaines ! Quelle ivresse de force et de puissance ! Faut-il s'étonner que ce soit ce sublime délire qui ait porté le cœur humain aux plus pénibles sacrifices, comme aux plus horribles forfaits ?

CHAPITRE XVII.

Gourmandise , Ivrognerie.

COMMENT les oublier dans un traité de morale? Ce sont les premières et les dernières passions de l'homme , et c'est aux deux extrémités de la vie que leur influence paraît le plus à craindre. Ce sont elles qui probablement ont fait les premiers brigands comme les premiers héros de la terre. C'est la gourmandise qui donna lieu aux plus anciennes conquêtes dont nous parle l'histoire. Sur cent voleurs que leurs forfaits

forfaits ont conduits au supplice, peut-être n'en est-il pas deux que cette vile passion n'ait entraînés dans l'enfance à la première faute devenue le germe de tous leurs crimes.

Que de libertins échappés aux suites ordinaires du désordre de leur jeunesse, qui, dans un âge avancé, meurent victimes de la seule sensualité que leur laisse encore un tempérament épuisé par l'abus des voluptés dont ils furent esclaves!

O douce médiocrité ! un des biens réservés à ceux qui savent te chérir, c'est ce plaisir simple et pur que l'habitude de la frugalité ne cesse de mêler aux jouissances du besoin qui se renouvelle le plus souvent et ne s'use enfin qu'avec la vie.

CHAPITRE XVIII.

Envie, Calomnie.

UN jour que le Génie de la société avait commencé l'une de ces sublimes combinaisons qui entretiennent dans le corps politique la force, le mouvement et la vie, c'était l'émulation, je ne sais quelle furie y vint mêler le plus subtil, le plus violent des poisons. L'œuvre soudain parut troublée, et de ce mélange impur naquit, dit-on, l'envie, la plus triste des passions, la plus froide et la plus active en même tems.

Les autres échauffent le cœur de l'homme, celle-là le glace et le tue.

Tel trait de calomnie est plus cruel que le poignard d'un assassin ; et ce trait sans doute est d'autant plus redoutable, qu'il peut être lancé par la main du plus faible comme du plus puissant de vos ennemis. Les lois sont le plus souvent aussi impuissantes pour vous en venger que pour vous en défendre. Il n'est qu'un abri sûr, c'est l'obscurité qui vous cache aux regards de l'envie. Il en est un moins sûr peut-être, mais plus noble, plus digne d'un cœur généreux ; c'est une vertu active qui vous tienne sans cesse sous la garde de l'opinion publique.

Nos institutions politiques et civiles n'auraient-elles gardé tant de ménagemens avec la calomnie, que pour laisser aux hommes vicieux un moyen de plus de la confondre avec cette espèce de censure dont ils ont tant de raisons d'attendre une trop juste sévérité ?

CHAPITRE XIX.

Colère.

De toutes nos passions la plus machinale et par conséquent celle dont l'habitude renforce le plus malheureusement le caractère et les effets ; elle naît d'une sensibilité trop vive, trop prompte, et ses excès étouffent, anéantissent les sentimens les plus naturels à l'homme.

C'est la seule passion, dit Sénèque, qui ne soit accompagnée d'aucun plaisir. Ce mot est plus aimable, je crois, qu'il n'est vrai.

La violence est le délire du pouvoir ; la colère est l'ivresse de la violence ; ce qui donne à l'homme un sentiment si vif de ses forces n'a qu'un charme trop puissant, quelque tristes, quelque funestes qu'en soient les suites.

Ne vous flattez point que les meilleures raisons du monde l'emportent jamais sur la colère ; souvenez-vous du trait sublime de Pascal : La violence et la vérité ne peuvent rien l'une sur l'autre.

CHAPITRE XX.

Vengeance et Duel.

IL n'est pas plus naturel de ressentir une injure que de désirer d'en tirer vengeance ; ce mouvement est dans le cœur du sauvage, comme dans celui de l'homme civilisé ; l'amour-propre se soulève avec d'autant plus de violence, qu'il s'est senti plus injustement opprimé.

Mais comme la société exalte toutes nos affections naturelles, elle a porté aussi celle-ci à un si haut degré d'énergie, qu'on a bientôt senti le besoin d'en réprimer les excès et d'en modérer la violence.

Quelque précaution qu'ait prise la loi pour punir toute injure dont il serait trop dangereux d'abandonner la vengeance au ressentiment particulier de celui qui l'a reçue, elle n'a pu tout prévoir. Les différentes relations de la vie sociale, tous les besoins, tous les préjugés qui en résultent, ont rendu l'amour-propre si sensible et si délicat, les occasions de le blesser se sont si fort multipliées, qu'on a fini par se persuader que la sauvegarde des lois ne pouvait suffire seule à sa défense; on y a suppléé par ce que nous appellons le point d'honneur, code plus respecté des nations modernes, que celui des lois et de la religion même. Ce code, tout sauvage, tout féroce qu'il paraît aux yeux de la raison, loin d'avoir été conçu par la vengeance, ne le fut, je crois, que pour en arrêter le cours, pour lui fixer du moins un terme quelconque; et sous ce rapport, son origine me paraît, je l'avoue, presque aussi sublime que barbare.

Je sais bien qu'il n'est guère de folie plus atroce que celle qui oblige un honnête homme à laver dans le sang l'insulte d'un geste ou d'un mot indiscret; mais tant qu'un peuple aura des préjugés dont la force sera supérieure à celle des lois, ne faut-il pas céder à leur puissance ou cesser de vivre sous leur empire?

Quel conseil la morale pourrait-elle donc opposer aux accès d'une frénésie devenue universelle? Celui de fuir les occasions qui la font naître, celui de montrer, dans celles dont la prudence n'a pu défendre, ce courage, ce sang-froid qui, lorsqu'il ne saurait parer absolument les coups du sort, en rend toujours l'impression moins vive et moins funeste.

CHAPITRE XXI.

Esprit de parti.

On ne peut douter, ce me semble, que l'amour ou la haine qui tient à l'entêtement d'une opinion quelconque ne soit un sentiment factice; mais tout factice qu'il est, je n'en connais point dont les effets soient plus violens, plus extrêmes. J'ai toujours remarqué que c'était à-peu-près la seule passion des ames froides, qu'elles en étaient peut-être même plus particulièrement susceptibles, et je le conçois; n'ayant n'ayant, pour ainsi dire, aucun foyer intérieur, ce ne sont que les impressions du dehors qui peuvent y exciter une activité soutenue, et ces impressions sont d'autant plus vives qu'elles ne rencontrent aucune force capable de leur résister.

Il n'est point d'opinion, l'histoire nous en fournit trop d'exemples, plus ou moins ridicules, plus ou moins atroces, il n'en est point, quelque frivole ou quelque extravagante qu'elle soit, dont l'enivrement contagieux n'ait troublé le bonheur et le repos de la société.

L'esprit de parti rend fous les hommes même qui semblaient

n'avoir reçu de la nature aucune disposition à le devenir.

En détestant tout esprit ambitieux qui cherche à faire secte, je m'impose la loi scrupuleuse de ne jamais confondre le caractère de l'homme et celui de ses opinions, l'inconséquence des idées et celle des mœurs.

Se rendre souvent compte à soi-même de sa manière de voir et de sentir, ne rien admettre, ne rien rejeter sur parole, oser être seul de bonne-foi, voilà sans doute les préservatifs les plus sûrs contre l'esprit de parti.

CHAPITRE XXII.

Jouir du présent.

Ce n'est plus qu'un vain mot pour tout homme sorti de l'état de nature.

Il ne dépend plus de nous de séparer le présent du passé et de l'avenir ; d'ailleurs qu'y gagnerions-nous à perdre nos souvenirs et nos espérances, ce qu'il y a de plus réel peut-être dans le bonheur de la vie ?

Le présent est un instant qui nous échappe ; il ne laisse pas même au sentiment le tems de s'y reposer et de jouir. Il faut à notre cœur comme à notre imagination plus d'étendue et plus d'espace.

Je sais bien que l'excès de la prévoyance éteint tout ; mais avec une manière de voir juste et simple, l'idée de l'avenir et du passé ne sert qu'à prolonger le moment de la jouissance.

Il serait sans doute insensé de mourir tous les jours pour conserver l'espoir de se survivre le lendemain ; mais ne jouit-on pas plus délicieusement avec la douce espérance de jouir encore?

CHAPITRE XXIII.

Travail, Paresse.

Nous mesurons la durée du tems par la succession de nos sentimens, de nos idées ou de nos sensations. L'espace de tems qui n'est marqué pour nous par aucune époque sensible, ne laisse après lui qu'une impression vague et confuse. Il nous paraît tour-à-tour un instant et une éternité. Le tems que nous ne savons point employer, tant qu'il dure, nous paraît éternel; est-il passé, ce n'est plus qu'un moment dont le souvenir fugitif échappe à notre pensée. Occuper sa vie est donc l'unique moyen d'en prolonger la jouissance et d'en abréger les ennuis, de se consoler du peu de jours que nous avons à vivre, et de supporter sans peine le fardeau de chaque journée.

La paresse n'est pas une jouissance, elle n'est qu'une exemption de peine, et le repos n'est vraiment désirable que pour conserver les forces que nous avons acquises, ou pour réparer sans effort celles que nous avons perdues. Ce que le sommeil est au corps, le repos l'est à l'ame: il ranime d'abord nos facultés; prolongé trop long-tems, il les accable, il les éteint.

CHAPITRE XXIV.

Jeu.

C'EST au besoin d'intérêt que tient le charme qu'aura toujours le jeu pour les hommes désœuvrés, pour les ames oisives; et, soyons vrais, s'il est contre l'ennui de meilleur spécifique, il n'en est pas au moins qui soit tout à-la-fois d'un usage plus facile et d'un effet plus merveilleux.

Cette lutte d'adresse et d'attention, cette lutte ingénieuse contre les coups du hasard, que tantôt l'on prévient, que tantôt l'on répare ; cette lutte enfin où les succès et les revers se succèdent et se renouvellent si souvent, n'est-elle pas comme un abrégé de toutes les agitations de la vie? On y passe sans cesse de la crainte à l'espérance, et l'on conçoit que la succession rapide de ces sentimens peut bercer très long-tems l'activité naturelle de notre imagination, et qu'elle la berce d'autant plus agréablement qu'il ne lui en coûte, pour ainsi dire, ni peine, ni fatigue.

Montrer l'attrait du jeu, n'est-ce pas en faire voir tout le danger? Il n'est point d'habitude plus entraînante que celle d'un amusement tout à-la-fois si attachant et si frivole. Un joueur commence par se dégoûter de toute autre occupation, et finit le plus souvent par se rendre incapable de tout autre intérêt.

On ne dira jamais rien de plus frappant ni de plus raisonnable contre la passion du jeu, que ce qu'en a dit M. de Buffon. Calculez, et vous verrez qu'il n'y a aucune proportion entre le plaisir de gagner et le malheur de perre: le gain ne peut vous donner qu'un superflu dont vous n'avez que faire, la perte vous prive plus ou moins du nécessaire même. Il est impossible que tout gros jeu n'offre des chances fort inégales, et la somme que vous perdez sera toujours, relativement à votre fortune, au-dessus de celle que vous gagnez. Supposé que vous ayez cent mille écus, si vous gagnez cent mille francs, vous n'augmentez votre fortune que d'un quart; si vous les perdez, vous la diminuez d'un tiers; c'est une grande leçon réduite à la simplicité d'une règle d'arithmétique.

CHAPITRE XXV.

Femmes.

On ne parle guère aujourd'hui de l'amour, mais on parle souvent des femmes, et ce nom si doux se mêle encore aux plus grands intérêts de la vie.

Le plus sûr moyen peut-être pour ne point se laisser avilir par un goût trop vif pour les femmes, c'est de les estimer, de les estimer beaucoup plus qu'elles ne s'estiment elles-mêmes.

Comment ne pas se rendre méprisable en se condamnant sans cesse à mépriser ce que le cœur a besoin d'aimer, de servir, d'adorer ?

Lorsqu'on a dit que le premier bonheur des femmes était de dominer, on n'a dit que la moitié de leur secret. Comment le vain plaisir de dominer les toucherait-il beaucoup en lui-même ? Je les crois déterminées par un sentiment plus naturel, par je ne sais quel intinct qui leur dit ce qui est si vrai, c'est que toutes les fois qu'elles ne dominent point, elles sont mal aimées, puisqu'elles le sont alors sans enthousiasme et sans délicatesse.

Je n'ai point trouvé de Julie; mais je m'en suis fait quelques-unes. Mon imagination a sauvé ma ma sensibilité ; les objets ne sont pour nous que ce qu'en fait notre cœur. L'illusion qui ennoblit l'objet de nos désirs, sert à nous rendre moins méprisables à nos propres yeux, tant que cette illusion dure, le sentiment n'est point avili ; et ce sentiment s'éteint aussitôt qu'elle s'évanouit. Je comprends que cette morale n'est pas bonne pour tout le monde; mais elle allait à ma manière de sentir, à ma manière d'aimer, et m'a réussi.

Le danger le plus inévitable du plus naturel, du plus vif de tous les plaisirs, c'est que l'habitude de s'y livrer n'en fasse un besoin de l'imagination lorsqu'il ne peut plus être ni celui du cœur, ni celui des sens; alors, au lieu d'animer nos facultés, il les étouffe et les éteint. Toutes les fois que le désir n'est pas en proportion avec nos forces, il les a bientôt épuisées, et je ne conçois guère d'existence plus malheureuse que celle d'un être qui se fatigue sans cesse à suivre l'illusion qui le fuit, et à payer de tout le bonheur dont il pourrait encore jouir, ce vain songe qui l'agite, le tourmente et l'expose aux maux les plus réels, à la perte de son tems, de sa fortune, de sa santé, le plus souvent même à la haine, au mépris des objets dont il achète si chèrement la durée de son erreur.

Pour ne point trop aimer les femmes, lorsqu'on est jeune, peut-être suffirait-il de s'attacher au bonheur d'en aimer une.

Suivez vos désirs sans les exciter jamais, disait le docteur Chirac, vous ne vous ferez aucun mal; point de drogues seulement, mais souvenez-vous que le changement est une drogue. Vieux, imitez au moins l'exemple de l'Am... de N...; ne faites point l'amour, achetez-le tout fait; n'étant plus la dupe de votre cœur, vous commanderez à vos sens avec une liberté qui ne vous coûtera pas de grands efforts.

Plus délicat, conservez votre vieille amie, et vivez de souvenirs.

CHAPITRE XXVI.

Société.

Le besoin rapproche les hommes, l'inconstance ou l'ennui les éloigne. Dans l'état social comme dans les bois, les hommes ne sont faits que pour se rencontrer. Il n'est peut-être aucune liaison, quelque intime qu'elle puisse être, où il soit permis d'oublier une vérité que l'expérience a trop souvent justifiée.... Voyez la loi des mariages dans l'austère Lacédémone.

Le plus doux de tous les rapports que l'on puisse avoir avec ses semblables, c'est celui de la bienveillance. Des services rendus sans aucun espoir d'intérêt ou de reconnaissance, sont des liens dont il est toujours facile de relâcher les nœuds, et qui ne laissent ni souvenirs, ni regrets trop pénibles.

*

Idée des liaisons dont on s'honore dans une grande ville.

Le vieux comte de P*** était assis au coin de la cheminée de sa vieille amie, madame la Marquise du ***. Savez-vous bien, lui dit-elle, après un de ces silences qui reposaient souvent l'ennui de leurs entretiens, savez-vous bien qu'il y a quarante ans que nous nous connaissons ? — Il est vrai , Madame. — Et que nous avons été constamment liés ? — Oui , Madame. — Ce qui doit étonner encore plus , c'est que dans un si long intervalle , jamais aucune brouillerie n'a troublé notre amitié. — J'en suis surpris comme vous. — Mais cela ne viendrait-il pas , mon cher Comte , de ce que nous avons toujours été assez indifférens l'un à l'autre ? — Cela se pourrait fort bien....

Quelque connue que soit la vérité de cette anecdote , j'aime à penser qu'il est un pays où l'on aura plus de peine encore à la croire qu'à la comprendre.

CHAPITRE XXVII.

Inégalité des conditions.

L'ENFANT qui arrange sa toupie, celui qui joue avec sa poupée, le héros méditant de vastes conquêtes, la femme voulant captiver l'hommage et les vœux de tout ce qui l'entoure, le philosophe assignant aux planètes leur cours, l'administrateur serrant dans ses mains les rênes d'un grand empire, le magistrat croyant résister à l'autorité, le pauvre empressé de prodiguer sa vie pour conquérir la subsistance de quelques journées, le riche plus tourmenté du besoin de grossir son trésor, tous sont conduits par le même penchant, tous cèdent au même attrait, celui d'essayer leur pouvoir. Qui l'exerce assez facilement, jouit; trop facilement, s'ennuie; trop difficilement, souffre: c'est à ces trois manières d'être qu'on peut réduire, ce me semble, la fortune de tous les hommes, l'inégalité réelle de toutes les conditions.

Sous ce point de vue la première de toutes les conditions est celle des hommes sains et robustes de corps et d'esprit.

Toutes les autres lui sont inférieures , car toutes les autres en sont plus ou moins dépendantes.

CHAPITRE XXVIII.

Liberté.

L'AMOUR de la liberté est un sentiment si naturel, que de toutes les injustices auxquelles nous sommes si sensibles, la plus cruelle de toutes est celle qui ose attaquer ce reste de liberté que nous ont laissé nos institutions sociales.

L'esclavage rend l'homme vil ou féroce; plus cet effet paraît infaillible, et plus on sent combien il est dangereux de faire passer subitement l'esclave à l'état de liberté.

Point d'industrie, point d'activité, point d'énergie morale partout où règne le despotisme : l'amour de la liberté suppose une certaine force d'esprit et de caractère ; lui seul aussi la conserve et l'entretient.

Sous tous les rapports où l'homme est naturellement facile et faible, il est à désirer sans doute qu'il dépende ; sa dépendance alors est un lien sur lequel il s'appuie et se repose. Telle est la dépendance où l'on est d'une loi sage, d'un gouvernement plein de justice et d'équité, d'une amitié fondée sur la confiance et l'estime, d'un amour plein de passion et de respect.

Il est toujours malheureux de dépendre de ses semblables; mais il est encore plus certain qu'en voulant déchirer des liens qu'on ne saurait rompre, on les resserre davantage. Pour sentir moins vivement la perte de votre liberté, si vous ne pouvez vous rendre nécessaire à ceux dont vous devez dépendre, tâchez au moins de leur plaire ; à force de patience et de douceur, vous vous emparerez de la main qui tient vos chaînes, et le poids vous en semblera plus léger.

CHAPITRE XXIX.

Justice.

Etre juste, dit-on, c'est rendre à chacun ce qui lui est dû. Mais ce qu'on doit rendre à chacun s'entend-il beaucoup mieux que ce qui est juste ?

L'idée de ce que nous devons à nos semblables est une suite nécessaire de ce premier sentiment de compassion, principe de toute moralité ; et sous ce point de vue, elle embrasse toutes les vertus, depuis la pitié la plus vulgaire jusqu'au dévouement le plus sublime ; c'est l'ensemble qui forme le juste de Platon, le magnanime d'Aristote.

Communément l'on attache au mot de justice un sens moins étendu ; c'est toujours ce que nous devons aux autres, mais ce n'est que ce nous leur devons rigoureusement. Sous ce dernier rapport même, l'idée me paraît n'avoir encore qu'une vérité relative ; ce que nous devons le plus indispensablement aux autres n'est-il pas différemment modifié par notre manière de voir et de sentir, par la mesure de nos besoins et de nos facultés? Ce qui n'est qu'équitable dans telle ou telle circonstance, ne peut-il pas dans telle autre devenir souverainement injuste? La diversité de ces modifications est peut-être une des raisons qui ont le plus contribué à ébranler l'autorité de la morale, à faire calomnier ses principes en laissant croire qu'ils ne portaient que sur une base mobile et variable.

Il faut convenir que de toutes les règles de la morale, celles qui concernent la justice ont été le plus altérées par l'influence des opinions reçues; et la raison en est simple : ce sont les premiers principes moraux dont nos institutions sociales dûrent s'emparer, et il n'est point de législateur qui ne les ait fait plier plus ou moins au système particulier de ses vues, de ses projets, de son ambition personnelle.

Ce que le vulgaire des hommes entend aujourd'hui par justice, n'est que l'obligation positive de ne jamais s'écarter des lois convenues ou formellement établies.

CHAPITRE XXX.

Courage, Prudence.

Se donne-t-on le courage? comme la force et la santé.

Avec de la présence d'esprit, je n'ai jamais vu manquer de courage; la loi de la nécessité fait tout supporter, l'intérêt d'une grande passion fait tout entreprendre.

Sous ce double empire, l'être le plus faible a paru intrépide, l'homme le plus courageux s'est montré pusillanime.

Le motif le plus raisonnable

pour braver le danger, c'est que presque toujours l'on risque encore plus à vouloir le fuir.

Le courage de l'esprit, infiniment plus rare que la valeur, suppose des vertus bien plus éminentes. C'est peu, dit le cardinal de Richelieu au cardinal Mazarin dans les dialogues de Fénelon, c'est peu d'être brave dans un combat, si on est faible dans une conversation.

*

La prudence est moins une vertu qu'une qualité ; naturellement elle devrait être la disposition la plus favorable à toutes les vertus, et trop souvent elle n'en est que la dispense.

CHAPITRE XXXI.

Sensibilité.

Des habitudes propres à exciter trop vivement notre sensibilité ne sont pas moins nuisibles au bonheur que celles qui pourraient l'étouffer ou l'affaiblir.

De toutes les hypocrisies, celle de la sensibilité me paraît la plus ridicule et la plus méprisable, et c'est proprement le travers de ce siècle. Où est Molière? Point de vice à la mode qui ait mieux mérité qu'on en fasse une justice éclatante au théâtre. Comme le véritable amour, la véritable sensibilité craint les regards indiscrets ; elle a, si j'ose m'exprimer ainsi, sa modestie et sa pudeur.

Pour modérer une sensibilité trop vive ou trop susceptible, je crois qu'il n'est point de remède aussi sûr que de prendre l'habitude d'une manière d'être extrêmement simple, peut-être même un peu plus méthodique que ne l'exigerait d'ailleurs un caractère moins faible.

J'ai remarqué souvent que les personnes accoutumées dans leur intérieur à un certain arrangement plus ou moins uniforme, résistaient davantage à toutes les impressions du dehors; que lors même qu'elles avaient été vivement affectées, on les voyait rentrer plutôt dans l'état de calme qui leur était habituel.

CHAPITRE XXXII.

Insouciance.

S'IL était vrai que le cours ordinaire de la vie offrît plus de peines que de plaisirs, ne se soucier de rien serait sans doute de toutes les ressources de la sagesse la plus infaillible. Mais cette première supposition pourroit bien n'être qu'un blasphême de notre ingratitude. Le seul bien d'exister, tant que nous en conservons le sentiment, n'est-il pas au-dessus de tous les maux, de toutes les douleurs qui peuvent troubler notre existence ? Je vois beaucoup plus d'hommes malheureux pour ne pas sentir assez vivement les biens dont ils jouissent, que pour se voir privés de ceux qu'ils désirent.

Pouvons-nous d'ailleurs nous rendre insoucians à volonté lors même qu'il nous conviendrait le plus de l'être ?

N'attacher de prix à rien n'est pas un effort aussi sublime qu'on le pense ; c'est le découragement naturel d'un esclave.

Ce qui suffit à la tranquillité du sage est de n'attacher aux choses que le degré d'intérêt qu'elles méritent, de ne pas trop s'écarter au moins de la juste proportion qui doit exister enter les différentes mesures de notre attachement.

Ce sont les conditions de la vie les plus opposées qui nous disposent à l'insouciance : une extrême richesse comme une extrême misère ; une dépendance absolue comme un pouvoir excessif ; la vieillesse comme l'enfance ; et c'est dans ces conditions si diverses que l'insouciance a précisément les suites les plus fâcheuses ; elle commence par arrêter le développement de nos forces (1), et

(1) C'est-à-dire, de nos forces morales, car on ne peut disconvenir que les hommes insoucians par principe ou par caractère ne jouissent en général d'une assez bonne santé.

finit

finit par nous rendre le peu qu'elle nous en laisse tout-à-fait inutile. Le mépris de ce qui nous entoure ne tarde pas à nous conduire au mépris de nous-mêmes, qui est le dernier terme de notre dépravation.

CHAPITRE XXXIII.

Véracité.

PLUS on a de vertus, et plus il est aisé d'être vrai.

Soyons vrais avec nous-mêmes, et nous le serons toujours assez avec les autres.

Le mensonge ne nous semble en effet si avilissant, que parce qu'il accompagne ou qu'il suppose des vices également odieux, la bassesse, l'injustice et la lâcheté.

Ne serait il pas absurde cependant de confondre toute espèce de mensonge? N'en est-il pas qui, loin de nuire à la vertu, ne servent qu'à la rendre tout à-la-fois plus puissante et moins redoutable ?

Tout mensonge, dès qu'il m'est personnellement utile, me paraît une bassesse, et sans exception; mais j'ai plus d'indulgence, je l'avoue, pour ceux qui n'ont d'autre objet que d'être plus utile ou plus agréable aux autres.

La vérité morale, a dit Rousseau, n'est pas ce qui est, mais ce qui est bien; ce qui est mal ne devait point être, et ne doit point être avoué, sur-tout quand cet aveu lui donne un effet qu'il n'aurait pas eu sans cela.

CHAPITRE XXXIV.

Modestie.

Ne pas trop présumer de ses forces, c'est être modeste pour soi ; ne point trop chercher à se faire valoir, c'est être modeste pour les autres. Se bien juger soi-même est sans doute une règle indispensable pour se bien conduire, mais montrer avec plus ou moins de retenue l'opinion qu'on est en droit d'avoir de son mérite, c'est plutôt, ce me semble, un acte de prudence que de vertu.

J'ai vu des hommes du plus

rare mérite l'allier à la plus touchante modestie, d'autres au plus noble orgueil, et je n'ai pas moins pu croire à la vertu des uns qu'à la vertu des autres. La modestie pourrait donc bien n'être qu'un résultat du caractère, de l'habitude, de l'éducation, assez indifférente dans le fond au mérite réel.

Je ne dirai point comme M. de Belloy : Tout le monde sait que je suis modeste ; mais je conviendrai que, fausse ou vraie, ma modestie m'a souvent été fort nuisible.

A la conscience éclairée de ses bonnes ou de ses mauvaises qualités, il est souvent essentiel de réunir le courage de les montrer aux autres, et de leur apprendre ainsi jusqu'à quel point ils pourroient tirer parti de celles qui sont faites pour être utiles.

CHAPITRE XXXV.

Modération.

C'EST l'égide protectrice de notre repos, de notre bonheur ; elle conserve toutes nos facultés ; elle en maintient la force et l'équilibre. Mais n'est-elle pas également à l'usage du méchant et de l'homme de bien? Ne nous éloigne-t-elle pas également des dangers qui doivent effrayer le vice et de ceux que doit braver la vertu ?

Les Catons, les Gracques, les Brutus, les hommes les plus vertueux de l'histoire ancienne et de l'histoire moderne étaient-ils en effet des hommes fort distingués par leur modération? Je vois que cette qualité, toute estimable qu'elle est en elle-même, s'allie difficilement à de hautes vertus, à une grande élévation de talent ou de génie; elle n'est le plus souvent que l'humble compagne de l'impuissance et de la médiocrité.

Peut-être est-ce de toutes les vertus celle qu'il est le moins à désirer de tenir de la nature même; elle n'est précisément pour nous ce qu'elle doit être que lorsque nous l'avons acquise à force de peines, de combats et de sacrifices. Alors loin d'y voir un caractère de foiblesse, on y reconnaît le plus sublime effort de l'empire que l'homme peut prendre sur lui-même. Telle fut la modération d'un Aristide, d'un Camille, d'un Scipion.

CHAPITRE XXXVI.

Propreté.

JE conçois parfaitement que beaucoup de législateurs en aient fait une vertu religieuse.

C'est par elle que commence pour ainsi dire la civilisation de l'homme.

La malpropreté est le signe le plus infaillible de la misère, de la barbarie et de l'abrutissement.

Qui se néglige à cet excès soi-même, ne s'aime ni ne s'estime; comment pourrait-il aimer ses semblables?

CHAPITRE XXXVII.

Caractère.

Le caractère est dans l'homme ce qui résulte éminemment de la combinaison naturelle ou factice de ses facultés, de ses opinions, de ses volontés, de ses affections, de ses goûts, de ses habitudes; c'est, pour ainsi dire, le principe vital de toute son existence morale.

« Le caractère, » a dit un grand homme aussi cher à la France par ses écrits que par ses vertus, « le caractère est cette puissance de l'ame, cette force inconnue qui semble unir par une flamme invisible le mouvement à la volonté, et la volonté à la pensée. «

Si le caractère doit toute sa force à la nature, ce n'est pas que les qualités que nous acquérons, ou par des efforts volontaires, ou par une sorte de contagion qui nous les communique, ne puissent le modifier jusqu'à un certain point ; c'est qu'il ne tient à aucune de ces qualités en particulier, mais se forme insensiblement du mélange de toutes, sans que l'esprit ou la volonté y ait aucune part.

Comme on lit beaucoup d'ouvrages

vrages qui n'offrent aucun résultat déterminé, l'on voit sans doute aussi beaucoup d'hommes dont il paraît impossible de marquer le caractère : ce sont les lieux communs de l'espèce humaine, et cette classe est nombreuse.

J'ai connu des hommes à qui leurs principes tenaient lieu de caractère; j'en ai vu d'autres à qui leur caractère tenait lieu de principes ; mais je me suis trompé moins souvent, je l'avoue, en comptant sur les vertus de ces derniers : leurs vertus dépendent d'une sorte d'instinct ; ce sont, comme on l'a dit, des vertus purement animales; on est bien sûr de ce qu'ils pourront faire, parce qu'ils sont en quelque manière dans l'impossibilité de faire autrement.

Si l'on ne peut changer son caractère, on peut du moins se donner des qualités et des habitudes qui en renforcent ou qui en adoucissent le ton dominant et les nuances particulières.

CHAPITRE XXXVIII.

Bonheur.

Y A-T-IL moins de folie à chercher le bonheur absolu que la pierre philosophale ? On sacrifie à l'une de ces chimères la jouissance réelle de l'or que l'on posséde, à l'autre celle du plaisir et du repos dont l'alternative semble être le partage naturel de l'homme.

Puisque notre imagination va toujours beaucoup plus loin que la nature, il paraît décidé que le plus grand bonheur ne peut naître que de la plus grande illusion ;

mais comme il est difficile que cette illusion ne soit souvent troublée par les caprices de la fortune, par l'importunité de nos amis, ou par celle de la raison même, on ne doit guère s'attendre à un bonheur sans mélange.

La vie étant une succession continuelle de biens et de maux, il faut tacher de donner assez d'élasticité à notre ame pour recevoir toutes les impressions dont elles est susceptible, sans perdre la force d'y résister lorsque notre repos l'exige.

Une manière d'exister qui serait constamment la même, quelque douce qu'elle pût être, nous deviendrait bientôt indifférente par-là même qu'elle ne renouvellerait point assez vivement le sentiment de notre existence. Qu'un homme pauvre devienne riche, qu'un homme fatigué se repose, qu'un homme qui s'est reposé reprenne son activité ordinaire, qu'un cœur indifférent se passionne, il est certain que dans toutes ces variations on ne mettra point son bonheur en doute. Il semble donc que l'on n'est très-heureux qu'en passant d'un état à l'autre. Il faut pourtant que ce passage ne soit point trop précipité, parce qu'il ne laisserait point de prise à la réflexion, et qu'il interromprait, pour ainsi dire, ce sentiment du moi d'où dépend essentiellement la consistance, la réalité de notre bien-être.

Si la raison nous empêche d'être malheureux, c'est le caractère seul qui assure notre bonheur. Il faut que nos yeux soient faits d'une certaine manière, il faut que le cristallin en soit naturellement vif et pur pour nous montrer tout ce qui nous entoure sous un aspect agréable; et la Philosophie n'a pas encore trouvé, je crois, le secret de changer ni la forme ni la couleur de nos yeux.

CHAPITRE XXXIX.

Patience dans les maux.

Je sais bien qu'à force de sagesse, de tempérance, de sacrifices et de privations de toute espèce, l'on s'épargne une infinité de maux.

Je sais que la plupart de nos maux nous semblent plus terribles lorsque nous les craignons, que lorsqu'ils nous ont une fois atteints.

Je sais que la nécessité donne à l'homme une sorte de courage; qu'un certain degré de douleur, comme un certain degré de plaisir, l'élève en quelque manière au-dessus de lui-même.

Je sais encore que lorsque nos maux nous deviennent tout-à-fait insupportables, ils ne sont pas loin de leur terme.

Mais combien toutes ces ressources de la pensée sont faibles, tristes, insuffisantes !

Il est dans cette vie des peines cruelles qui portent le caractère d'une fatalité inévitable.

Il est encore une foule de maux qui ne sont nullement en proportion avec les fautes, les négligences ou les faiblesses qui nous les ont attirés.

Que dirai-je donc à l'homme qui souffre, qui souffre sans l'avoir mérité, et sans aucun espoir de soulagement ?

Que dirai-je au malheureux dont je ne puis adoucir les souffrances ni par mes soins ni par ma pitié ?

Philosophe, que mettrez-vous ici à la place de l'espoir consolateur qu'offre une religion qui ne regarde cette vie que comme un moment de patience et d'épreuve, qui, au-delà de ce terme, promet une éternité de repos et de bonheur ?

Philosophe, reprenez votre orgueilleuse sagesse, rendez-moi la plus douce espérance ; ne fût-elle qu'une illusion trompeuse, je la préférerai mille fois.

Ce n'est pas ici le lieu d'examiner les preuves de l'immortalité; mais qui pourrait se plaire à les détruire? Je vois tant d'ordre dans l'économie de la nature! est-il vraisemblable que notre être périsse au moment où il commence à se développer? Je sens au fond de mon ame des facultés que je ne puis exercer dans mon état actuel. Je vois sans cesse un but au-delà de celui que je viens d'atteindre. Que de forces, que de moyens prodigués sans dessein, si l'homme meurt tout entier! Rien ne périt parce qu'il n'est rien d'inutile, tout reste ou se métamorphose. L'homme qui n'existe qu'autant qu'il pense, l'homme périrait-il seul ? Ses ouvrages seraient immortels, et lui-même, plus sublime que tout ce qui l'entoure, n'aurait qu'une existence éphémère ! Loin de mon cœur une si sombre pensée ! Douce espérance, ne me refuse point ton dernier asyle ! Que la mort ne soit à mes yeux que l'aurore d'une nouvelle vie, le passage du néant à l'être !

CHAPITRE XL.

Ignominie.

SÉNÈQUE l'a dit comme S. Paul, l'homme vraiment vertueux doit l'être au risque même de se voir couvert d'opprobre et d'ignominie... Ah! bénissons la providence, bénissons la nature humaine de nous imposer rarement des devoirs si difficiles à remplir. Une obligation moins pénible est celle de préférer la gloire à la vanité, l'estime des hommes éclairés aux suffrages de la multitude, la louange juste mais tardive de l'avenir aux louanges de nos contemporains

temporains presque toujours si suspectes, si versatiles, si frivoles.

Une obligation plus douce et plus touchante, est celle de cacher souvent le bien que nous voulons faire, pour le faire mieux. Le mystère qui couvre nos bonnes actions, comme celui qui voile nos plaisirs, semble ajouter à notre jouissance en la rendant plus pure et plus intime. Non, l'ivresse même de l'amour-propre n'a point de charme aussi doux que le recueillement d'une ame sensible et généreuse, contente d'elle-même, et pouvant jouir sans témoin d'un triomphe qui n'appartient qu'à sa propre vertu.

CHAPITRE XLI.

Amour de la vie.

O L'INCONCEVABLE instinct que celui qui nous attache à la vie ! C'est une fièvre intermittente dont le cours paraît souvent tout-à-fait suspendu, et dont les accès peuvent se porter au plus furieux délire. On le voit tous les jours dans le monde céder aux passions les plus vaines, les plus factices; on l'a vu plus d'une fois l'emporter même sur les premières affections de la nature, la tendresse et la pitié maternelle, transformer en un moment des êtres doux et sensibles en monstres de barbarie et de cruauté. Isolé de tout autre sentiment, cet instinct prend tous les caractères de la passion la plus féroce. Qui désire plus que de vivre n'aimera jamais la vie avec excès ; mais il n'est aucun frein à la fureur de celui qui ne peut plus concevoir d'autre désir que celui de sauver sa vie, c'est le dernier foyer où se concentre alors toute l'activité de son être. Telle fut surement l'affreuse destinée des premiers anthropophages.

Que de nobles et généreuses, que de touchantes et sublimes résolutions n'eussent jamais été conçues par le cœur de l'homme, si ses propres passions et celles de la société ne l'avaient pas formé de bonne heure au mépris de la vie ! C'est par cette raison qu'il est un caractère de vertu, une sorte d'héroïsme qui semble appartenir exclusivement aux amans, aux guerriers, toujours prêts à s'immoler aux intérêts de la gloire, à ceux de l'amour; et voilà sans doute ce qui leur donna dans tout les tems des titres si distingués à l'estime des femmes qui sont, comme l'a dit le sage de Genève, les juges naturels du mérite des hommes.

CHAPITRE XLII.

Crainte de la mort.

Les anciens philosophes semblent n'avoir été occupés qu'à combattre la crainte de la mort. On pourrait répéter ici tout ce qu'ils ont dit, qu'il ne faut point craindre ce qui n'est que la privation de tout sentiment etc.; j'aimerais autant dire comme ce Capucin, que c'est une grande attention de la nature, d'avoir placé la mort à la fin de la vie (1).

(1) On prétend qu'il est si difficile de mourir, disait une femme naïve, je

Ce qui me paraît assez généralement vrai, quelque horreur que nous inspire à tous ce terme toujours si prochain de notre destruction, c'est que lors même que nous touchons à ce terme, nous sommes encore loin de nous en douter, ou bien réduits à l'envisager comme le seul soulagement qui nous reste. Dans l'ordre naturel des choses, il est donc

---

vois pourtant que tout le monde s'en tire. — Racine, qui avait eu long-tems des frayeurs horribles de la mort, l'envisagea dans sa dernière maladie avec beaucoup de tranquillité. — Je ne me sens, dit Fontenelle peu d'instans avant de mourir, je ne me sens qu'une difficulté d'être.

bien peu de morts qui ne soient ou fort désirées ou fort imprévues. La distance de la vie à la mort nous paraît toujours infinie; ce sont deux points que sépare à jamais l'immensité du néant.

Mylord Stanhope se flattait qu'on retrouverait quelque jour le secret de vivre plus long-tems, et de tous les secrets de l'antiquité, c'était bien celui qu'il regrettait le plus. Je ne sais si cette espérance est près de s'accomplir, mais ce que je crois bien, c'est que la plupart des hommes meurent d'une mort prématurée, dans la jeunesse, de folie; dans un âge plus avancé, plus communément encore de paresse et d'ennui.

Il y a donc plus de vérité qu'on n'est tenté d'en trouver d'abord dans le mot de madame Geoffrin : On ne meurt que de bêtise.

CHAPITRE XLIII.

Jeunesse.

QUEL âge heureux que celui où jouissant de toute la plénitude de notre être, l'horizon de la vie nous paraît immense, celui de nos connaissances sans bornes, où toutes nos passions, toutes nos idées, tous nos goûts, tous nos sentimens semblent animés de cette première sève qui répand au printems sur la nature entière une fraîcheur si vive, et si brillante !

Le plus grand reproche que l'on soit tenté de faire aux progrès de l'état social, à la corruption actuelle de nos mœurs, c'est d'abréger beaucoup trop cette première époque de la vie. Les illusions factices auxquelles on nous livre de si bonne heure nous privent des plus douces illusions de la nature; et pour vouloir hâter sans nécessité le développement de nos lumières et de notre expérience, on nous ravit bien réellement ce que le bonheur de sentir a de plus touchant, de plus pur et de plus vrai. Dans le monde vous ne voyez que des enfans et des vieillards : rien de si rare que d'y rencontrer un jeune homme.

Notre politique dévore d'avance la subsistance des générations futures ; notre éducation nous fait dévorer de même dès l'entrée de la vie des jouissances qui ne devraient être réservées qu'à l'âge mûr et à la vieillesse. L'abus des anticipations ruine en morale comme en administration.

A l'âge où l'on est si riche des faveurs de la nature, comment ne pas dédaigner celles du luxe et de la fortune ? Dans l'âge de la force et de l'activité, comment ne pas rougir des habitudes que l'on pardonne à peine aux besoins de la vieillesse ? Qui n'a pas l'esprit de son âge, a dit M. de Voltaire, de son âge a tout le malheur.

CHAPITRE XLIV.

Vieillesse.

UNE des consolations les plus réelles de la vieillesse est l'espoir d'une mort soudaine et paisible.

Un des plus sûrs moyens de rendre la vieillesse supportable, est de conserver avec soin deux habitudes qu'il est assez en notre pouvoir de ne jamais perdre : celle de l'indulgence pour les autres, et celle d'une curiosité active, qui, nous faisant partager l'intérêt de tout ce qui nous entoure, ne nous laisse étrangers à rien.

J'ai

J'ai vu des vieillards de quatre-vingts ans passés, s'occuper des événemens du jour, d'une découverte nouvelle, avec le même intérêt, la même vivacité que s'ils n'avaient eu que vingt ans.

L'esprit vieillit sans doute, mais la paresse et l'inaction le vieillissent encore plus que le travail et les années.

Moins on a d'existence intérieure, plus on est heureux de pouvoir en trouver au dehors; lorqu'on n'a plus de chez soi, il faut bien aller vivre chez les autres; l'avarice et l'ambition semblent offrir à la vieillesse d'assez belles retraites. Mais la classe des hommes que peut consoler l'ambition, sera toujours peu nombreuse ; il est plus de conditions dont l'avarice pourrait être la ressource, sans l'inconvénient trop funeste de nous isoler au moment où nous avons le plus grand besoin de nous attacher tout ce qui nous entoure. Peut-être n'est-ce que pour égayer le soir de la vie, qu'on est excusable d'avoir été avare ; devenu vieux, pourquoi le serait-on encore ? Il est tems alors de réaliser les fonds que l'on avait mis en réserve, et la seule manière de les réaliser qui convienne à ce dernier âge, est de les faire servir au bonheur de ceux qui méritent notre tendresse, de ceux dont le souvenir pourra se plaire encore à prolonger notre existence après nous.

CHAPITRE XLV.

Incertitude de nos destinées.

LE terme de nos affections, celui de notre propre durée nous sont également inconnus. Comme il n'est point d'âge où l'on ne meure, il n'est aucun âge où l'on n'ose encore espérer de vivre. L'ignorance où nous sommes de l'avenir, est un des plus grands bienfaits de la nature ; c'est l'ombrage fortuné dont elle nous environne pour nous cacher les limites resserrées de notre existence, pour lui donner à nos yeux une étendue infinie, telle que la désire l'ambition de nos vœux et de nos espérances.

Les bornes que l'imagination n'aperçoit pas, n'existent point pour nous, et quant à celles qui la frappent trop vivement, n'avons-nous pas encore mille moyens d'en détourner nos regards? Si la nature veut que tout finisse, elle a voulu sans doute aussi que pour les ames sensibles et passionnées tout parût durable, tout parût éternel. Ce que nous désirons vivement, ce que nous aimons de même, ne sommes-pas sûrs de le désirer, de l'aimer toujours? Voilà de toutes les illusions de l'homme la plus chère et la plus inconcevable ; chaque instant semble devoir l'anéantir, rien ne saurait la détruire (1).

Il est plus d'un rapport sous lequel l'incertitude de la vie me paraît un des plus précieux avantâges de la condition humaine. J'y trouve tout à-la-fois un principe de bonheur, de consolation, de courage, de justice et de générosité.

---

(1) L'impatience si naturelle au désir contribue beaucoup à entretenir cette illusion ; en exagérant à nos yeux la distance du terme que nous brûlons d'atteindre, elle recule, elle nous fait oublier du moins plus surement encore celui que l'on craint presque toujours d'atteindre trop tôt.

Lorsqu'un long avenir peut devenir mon partage, l'abandonnerai-je au caprice d'un jour, comme si je n'avais qu'un jour à vivre ?

La douleur m'accable, mais oublierai-je que dans ce moment même tout peut finir ?

La place à laquelle je vois aujourd'hui mon semblable, demain sera peut-être la mienne, et j'oserais être injuste !

Je frémis de ce qu'il faut entreprendre, de ce qu'il faut sacrifier pour satisfaire à mon devoir ; mais les dangers qui m'arrêtent sont-ils plus réels que ceux qui m'assiégent de toute part et à chaque instant ? Qu'importe d'échapper aux uns si ce n'est que pour succomber aux autres? Les maux que nous avons le moins prévus sont ceux qui nous atteignent le plus surement.

Tout dans la vie est incertain. Ce qui ne l'est pas, c'est le sentiment qui me dit : Sois compatissant, sois juste, sois bon. Que ce sentiment retentisse sans cesse au fond de mon cœur, et je supporterai les peines de ma destinée en m'enveloppant du voile impénétrable de l'avenir, de ce voile heureux qui me cache si bien tout ce qu'il m'est bon d'ignorer.

CHAPITRE XLVI.

Maximes trop souvent oubliées.

Ne faites du bien que pour le plaisir d'en faire ; car on le fait mal toutes les fois qu'on ne le fait pas ainsi. Mais à cette condition, soyez sûr de trouver peu d'ingrats, du moins ne daignerez-vous guère vous en plaindre.

Un bienfait reçu est la plus sacrée de toutes les dettes : en ne l'oubliant jamais, vous aurez toujours le désir de l'acquitter ; et l'instant de la reconnaissance, loin de vous paraître un fardeau pénible, sera pour votre cœur un vrai soulagement. Vous n'aimez point à devoir : sentez donc le bonheur de rendre plus que vous ne deviez. Je ne croirai jamais qu'avec ce sentiment l'on puisse être réduit à haïr ses bienfaiteurs.

*

Les maladies de l'ame, comme celles du corps, ne sont peut-être jamais plus inquiétantes que lorsqu'elles sont vagues et indécises ; dès qu'on est parvenu à les fixer, on est presque sûr de leur guérison. L'habitude la plus propre à les prévenir est l'heureuse habitude de ne point s'abandonner à ses fantaisies, de ne pas même s'abandonner trop à ses idées, et de compter souvent avec soi-même de ses progrès et de ses pertes, de ses goûts et de ses aversions, de ses peines et de ses plaisirs.

*

Gardez-vous, a dit un sage de Perse, gardez-vous d'épuiser jamais la coupe céleste du désir et de l'espérance.

Ne possédez que pour jouir, et jouissez toujours comme si vous ne possédiez point : vos jouissances en seront plus vives ; vos regrets en auront moins d'amertume ; vos souvenirs plus de charme.

*

Sans espoir trop ambitieux, tâchez d'augmenter sans cesse vos forces physiques, morales, et même celles d'opinion ; car c'est le seul moyen de les conserver. Faites-en toujours le meilleur usage possible, et pour vous, et pour les autres; car c'est le moyen le plus naturel de les accroître.

*

Je ne sais si dans le monde le métier d'honnête homme est toujours le plus profitable, mais il est très-évidemment le plus facile et le plus sûr. Un fort malhonnête homme, a très-bien dit la Bruyère, n'a jamais assez d'esprit. Les principes de vertu, «a dit un moraliste d'un plus grand caractère, d'un esprit plus vaste et plus profond, « les principes de vertu sont plus étendus que les lumières du génie. La morale est l'esprit des siècles; les talens sont celui d'un homme en particulier. »

FIN.

TABLE DES CHAPITRES.

FIN DE LA TABLE.

Imprimé en France
FROC030106191020
25456FR00012B/257

9 782329 471457